親愛的＿＿＿＿＿＿＿＿＿＿

我願你凡事興盛，

身體健壯，

正如您的靈魂興盛一樣。

贈書人：＿＿＿＿＿＿＿＿＿＿＿＿

無毒一身輕

21 天改造體質

作者◉林光常

夏天汗不流

秋天鼻涕流

毒留百病留

無毒健康遊

作者序

在長年腫瘤臨床研究與教學生涯中，得到二點極為寶貴的觀念：

1. 人生的不幸與悲哀多數是無知與疏忽造成的。

2. 健康的身心來自「正確的認知」與「切實的行動」。

該知道而不知道是無知，該注意而不注意是疏忽。兩者的結果經常讓人扼腕痛惜，悔不當初。所幸「上帝愛世人」，多數時候您是有機會彌補修正的，如罹患了癌症、糖尿病或心臟病等富貴病，只要願意「改變」，就有康復的可能。但有些時候是「一失足成千古恨」，如死亡或重大車禍，根本沒有機會重來。走筆至此，不僅悲從中來，想起 2002 年 5 月 25 日華航 CI611 空難，心裡有說不出的痛！不知是哪一個機組維修環結的疏忽或是決策上的無知，釀成如此巨大的災禍。我們的身心靈不也是如此嗎？平常該保養而不保養，或有保養但輕率馬虎，一旦需全面動員發揮功效，卻在高空壓力中解體爆炸，損人傷己，情何以堪！

目前我在各地所做的癌症治療都獲得了極大的成果，其中有一個極為重要的關鍵點：我要求所有希望我幫助的病患，都必須定期參加我主講的演講會，並重複聽寫有助於他們身心靈健壯興盛的錄音帶。因為，人的觀念不健康，身體是不可能健康的。尤其是癌症病人一定要先知道：大多數的腫瘤都是吃出來的，繼之有激烈的情緒去強化它，最後才以癌病發出來。

有了正確的認知，只要再願意改變飲食與生活習慣，調和情緒，往往在短短數月，甚至數週之間就有極大的進展。如台中聖教會何執事，2002 年 8 月初在某大醫院檢出為肺癌，當下醫師告

知病人需立即開刀，否則後果不堪設想。當時黃金田老牧師在場聽聞後，因已有師母罹癌治療的痛苦經驗，實在不忍愛主的弟兄受治療折磨，遂提議其所鍾愛的何執事嘗試其他辦法。老牧師立即撥了一通電話給我，確定我人在台灣（其實早一天、晚一天都不行，早一點晚一點我也已有表訂行程，就只有那時段允許）便決定北上一會。經查何執事確實罹患惡性腫瘤，但兩胸腺中僅有一邊癌化，我堅定地告訴何執事，只要願意改變飲食生活習慣，依照「健康排毒餐」進行，並配合「14天強力排毒計劃」，必能復原。何執事返家後，劍及履及，謹慎行事。二週後，再查何執事的兩個胸腺均已回歸正常，沒有癌化現象。感謝主，榮耀歸於主！在全球各地因著「正確的認知」和「切實的行動」所帶來的健康成果就更加豐富了（見證詳見內文）。

能夠順利完成這本書，要感謝的人實在太多太多了，如果不是他們的鼓勵和協助，根本沒有這樣好的成果：

首先要謝謝台北靈糧堂周神助主任牧師，他對人類身心靈健康的關注和他癌病癒後的巨著《敬虔與健康》給了我極大的啓發和激勵。而且周牧師經常在百忙之中給我勸勉，爲我祈禱，深深地感動了我。

台灣大學郭瑞祥教授，克服肝癌的決心毅力與行動帶來了他全面的康復，令人佩服不已。他們全家吃排毒餐，結果郭嫂自幼罹患的異位性皮膚炎（醫生說無藥可醫的）也獲得了極大的改善。郭教授不但願意講述親身見證，並在百忙中爲本書寫序，怎一個感謝可表達。

謝謝周光華小姐、林家蓁小姐、陳美惠小姐費心地整理我的演講稿和文稿，她們爲了這本書，眞是達到了廢寢忘食的地步了！

感謝遼寧中醫學院附屬醫院金明秀院長、外事辦尹凡教授和

食療科主治醫師徐慧主任與曹梅大夫，因為有他們的協助才使我得以在中國大陸進行廣泛而大面積的臨床研究，並取得了極大的成果（在另一本癌症專書中有詳述）。

還有新加坡新傳媒電台「金嗓獎」四冠王的名主持人和暢銷書作家也是慈善公益家的東方比利先生，藉著他的影響力，能將我許多重要的癌症觀念散播在新馬一帶，使無數人得幫助。

總之，要感謝的人太多太多，像清新有機園地蔡秀玲師姊，健康食品協會理事長戴文松先生，台灣臭氧研製先驅何松根前輩與何昇龍先生，水研發天才廖培強先生和吳文心小姐，本草專家吳榮隆先生，世茂出版社簡泰雄社長與簡玉珊小姐，任勞任怨的江鴻喜先生，以及遠在新加坡的好友行銷專家 James Phang 和 Jeffrey 都給了我許多寶貴的意見（還有太多無法一一提及的朋友，請見諒）。

許多病人都說受到我源源不絕的精力和熱忱影響，這力量到底是從哪裡來的？要感謝我的父母，他們是勤勞而熱忱的楷模，最重要的是我所信的神，給了我無盡的力量與智慧。

最後，送給大家，每天我都會重複提醒自己的一句話：

「光常，主耶穌會幫助你，只要你和主耶穌一起做，你就無
　所不能。」

林光常　2002 年 8 月 2 日
寫於中國遼寧中醫學院附屬醫院

附記：本書所引用之聖經經文以聖經公會出版之《現代中文譯本修訂
　　　版》為主，另行註明者除外。

郭　序

　　我是在失去健康之後，才知道健康的重要性。

　　在今年（2002年）的年初做身體體檢時，赫然發覺罹患了肝癌，這對一向自詡體力好、經常運動的我來說，確實是難以接受的事實。在外科手術切除了 20 %的肝臟後，我在家修養了一個月。也就是在家修養之時，第一次聽到了光常對教會傳道人演講的錄音帶。聽完之後，方才了解身為現代人的我們，不管是何種年紀、職業與教育程度，對身體健康的照顧是多麼的無知與疏忽。

　　很感謝教會弟兄姊妹的熱心與光常的愛心關懷，他來到我家中提供更進一步的診斷與建議，為我一一檢測對各項食物的適食性。在這同時我仍定期去醫院接受超音波與血液生化檢查，可是在治療疾病上，並未有更進一步的醫療措施。而在與光常的接觸中，我開始明瞭人身上的「免疫系統」就是最好的醫療手法，增進自己身上的免疫功能與避免病原的侵襲乃是最正確的保養方式。於是我和家人開始徹底使用光常建議的排毒餐與全方位的飲食調整。除此之外，我也改變了自己的生活方式，更規律的作息與早睡早起，接觸大自然。

　　在這同時，我也開始大量閱讀相關的書籍，想了解所謂一般的自然療法與飲食療法可以如何改善自己的體質。在閱讀完這些書籍後，發覺這些書所傳達的訊息大體上與光常所講的健康之道有許多不謀而合之處，也訝異自己過去在生活保健上是何等的無知與疏忽。雖然這些相關書籍有許多具體的建議，但是從光常的錄音帶與講義中，我發覺他所傳達的訊息更為完整。尤其他能夠

從聖經的原理，清楚地提到這些健康的原理是如何與聖經的教導相結合。因此之故，今天能看到光常的書出版，相信是對我們許多人的一大福分。透過這本書，我們能夠更有系統地了解如何改變我們的生活、飲食習慣，如何透過心靈與信仰來進行全方位的健康生活。

　　許多讀者如果第一次閱讀本書，可能會覺得在觀念上有許多震撼，也會覺得如果要配合這類建議而改變我們目前的生活、飲食習慣會是很難執行的。但是以我親身的經歷，奉勸各位讀者細細思考每項建議是否都是回歸到神創造我們時，所建立的基本自然法則，也許就會明瞭這些建議不過是讓我們擺脫過去的文明依賴與惡習。

　　最後，也敬祝所有的讀者都能從本書得到益處，也能藉著此書廣為宣傳健康優質的生活觀。

郭瑞祥　91 年 3 月 25 日

台大工商管理學系教授

台大教授郭瑞祥的全家福

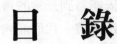

目　錄

〈治癒實例見證〉

018

第一章
國民健康素質分析

「你要詳細知道你羊群的景況，留心料理你的牛群」

（箴言第 27 章第 23 節和合本）

　　多年來我研究，兩岸三地、新加坡及美國在內的華人身體素質，我發現，雖然華人已經離開了中國兩岸三地的這塊土地，但是卻把中國人身體的特質帶到國外去，還發揚光大。

　　這些年當中，我蒐集了許多台灣國民健康素質的資料，特別是台北靈糧堂周神助牧師所寫的《敬虔與健康》的這本書，我非常喜歡，尤其在我旅行及外出時，常常帶在身邊。每當我在演講中告訴大家它的前言「**許多基督徒的身體不太好，傳道人尤其差，更差的則是師母。**」大家都會笑得很大聲。但是它卻是真正的反映事實，到底問題出在哪裡？為什麼我們傳道同工的身體都不好，值得我們研究及探討。

　　根據醫學上的統計，除了先天性以外，高血壓至少潛伏 10 年，心臟病、糖尿病潛伏 15 年，癌症的潛伏期則是 20 年。

　　所以當有朋友很緊張地告訴我說，他到醫院去檢查，昨天得了糖尿病的時候，我便會告訴他們，並非他們在昨天才得到糖尿病，而是至少累積了 15 年時間不正確的飲食及生活習慣後，「終於」在昨天檢查出了糖尿病。也就是說「健康與疾病都要付出時間的代價」。

　　我的臨床病例都是有關癌症方面的，而且經常是癌症末期者較多。發現，原來生病有預備的工作，就像傳福音一樣有預工。因為我們自己不斷的建造和累積，或是健康，或是疾病。

　　1996 年 11 月根據衛生署的統計報告，台灣地區每 1 個小時有 1 個人罹患癌症。這樣的數據引起醫學界的高度重視，當時許多的醫師就呼籲國人，平日要多注意飲食習慣及身體的變化。

○ 在台灣每 10 分鐘有 1 人得癌症

　　但是到了 1999 年 11 月 22 日，衛生署所公布的統計數字，台灣地區平均每 12 分鐘 15 秒就有 1 個人罹患癌症。也就是說 3

年的時間，國人罹患癌症的速度成長了 5 倍，我們想想看，如果 3 年的時間，敬虔的信徒或國家經濟力成長了 5 倍，那有多好！

到了 2000 年 12 月 23 日衛生署所更新的統計數字，台灣地區每 11 分鐘 17 秒就有 1 個人得癌症。而 2001 年 3 月，衛生署公布最新的報告，小小的一個台灣全年罹患人數突破五萬人，癌症發生速度更比前一年平均每 11 分 17 秒縮短為每 10 分鐘增加 1 名癌症病患。

這些數字相當的驚人！在台灣每 4 個人中就有 1 個人得到癌症。新加坡、中國大陸與香港亦同，在美國與日本則是每 3 人有 1 人得癌症。

為什麼癌症的比例那麼高，而且竄升的速度那麼的快，這是很值得我們去了解的情況。而不只是這樣，得癌症的年齡一直在降低，年齡層越來越輕，而男性比女性多，但女性的年齡層較男性為低。

和信醫院乳癌研究治療團隊的研究顯示，台灣婦女罹患乳癌的年紀，不但平均較西方國家年輕 10～20 歲，而且 40 歲以下即罹患的早發性乳癌占了近 3 成，早發性乳癌幾乎已是台灣婦女特有。為什麼？

根據 2001 年 9 月民生報醫療版有一則偌大標題是這樣寫的：「**她 18 歲，乳癌第 2 期**」。乳癌是婦女健康主要殺手，最嚴重的並非這 18 歲的個案，而是台灣地區罹患乳癌的比例正在不斷的增加。最令人擔心的是全世界罹患乳癌平均年齡在 40 歲以下只占 6%，而在台灣 40 歲以下罹患乳癌的比例則為 28%。為什麼？

✿ 在美國，2 個人中有 1 人死於心臟病

據一份統計資料顯示，在美國每 25 秒有 1 個人心臟病發作。

每 32 秒則有 1 人死於心臟病。美國人最通常的死因，心臟病。平均每個美國人因心臟病死亡的風險爲 50 ％。

美國至少有 1,000 萬人得了風濕性關節炎，1,700 萬人患有潰瘍，4,000 萬人患有過敏症。此外，還有無數的人在服用鎮靜劑、興奮劑和安眠藥。根據統計顯示，目前增加率最快的疾病，首推心臟病、糖尿病、癌症和中風。美國明尼蘇達大學凱斯博士就說，現在大家見面時，互相關心的不是問：「你有心臟病嗎？」而是問「你的心臟病嚴重嗎？」

根據台灣臺大醫院的統計，腦中風雖較常發生於老年人，但絕不是老年人的專利，年輕人也有發生中風的機會。1998 年就有女性以 38 歲芳華正茂的年紀，因突發性腦溢血病逝。臺大醫院將 1998 年所有 1,000 多例腦中風病例統計後發現，45 歲以下「年輕型腦中風」病人竟然占了將近 10%，爲什麼？而且發病後，約 1/3 的個案會立刻死亡（就算來得及送醫，其中也有 1/3 的病人，會在 1 個月內死亡），1/3 的病人留下嚴重的後遺症，能夠康復的人不到 1/3。

如果你的大動脈已經堵住 90%，只剩下 10%可以流通的時候，健康檢查不一定會發現。到了天氣變冷的時候，所謂熱漲冷縮，如果收縮的部位在心臟，那就是心肌梗塞；如果收縮的部位在腦部，那就叫做中風。所以許多疾病絕對不是突然的，一定是有跡可循的。

◎ 公務人員平均死亡年齡 49.65 歲

根據中央信託公保處的統計，國內在職的公務人員死亡原因有 1/3 是癌症，平均死亡年齡只有 49.56 歲。爲什麼？

台灣長庚醫院腫瘤中心指出，而國人罹患癌症的年齡層集中在 40 歲到 60 歲左右，與國外 7 成的惡性腫瘤患者是 60 歲以上

的情況比較，國內癌症患者的年齡太年輕了。為什麼？

　　台灣地區 30 歲至 64 歲婦女中，平均每 20 人就有 1 人罹患子宮頸癌。值得注意的是，**子宮頸癌抹片檢查在採樣技術不佳，或傳送包裝不良的情況下，竟然有半數出現誤判**。而台灣地區婦女子宮頸癌，發生率高出歐美地區 2 至 3 倍之多，是婦女癌症發生率的首位，臺大醫院婦產科曾發現，年僅 20 歲的女性，卻已罹患第三期子宮頸癌的病例。為什麼？

　　中台醫學技術學院調查發現，中老年人血壓正常比例僅 8.7%，40 歲以上民眾 9 成血壓不正常。為什麼？

　　根據陽明醫學大學，一項長達 6 年的追蹤調查發現，台灣鄉鎮地區 30 歲以上的居民，平均每 5 人就有 1 人罹患高血壓，每 10 人就有 1 人受糖尿病威脅，而且將近 6 成的病患，對疾病已纏身的事實，卻都不自知。為什麼？

　　另一份來自台大醫院一項長達 4 年的追蹤調查發現，罹患糖尿病或高血壓的病患，其死亡率是一般正常人的 2 倍以上，而且多數是因併發動脈硬化性心臟病或中風致死。

　　由台北榮民總醫院和陽明醫學院合作的一項大規模調查發現，血糖值介於 100 至 140 之間灰色地帶的人，將近 20%，處於糖尿病爆發的邊緣，甚至多數人已感染而不自知，為什麼？（這些人很可能在幾年後，發展成為糖尿病病人）

　　在台灣地區，糖尿病死亡人數是，10 大死亡原因中死亡率增加最明顯的疾病。臨床研究，有糖尿病家族史的人，罹患糖尿病的機率較一般人高出 5 倍以上；台灣地區 40 歲以上人口中，平均有 10%的人罹患糖尿病。為什麼？

　　台灣三軍總醫院，最近以胃鏡觀察正常人的胃部發現，沒有症狀顯示病症，但經診斷為胃炎卻高達 8 成，為什麼？（若不及時治療，會有惡化成潰瘍的可能）

◎台灣每 36 分鐘有 1 人患結核病

2002 年 3 月的一份報導指出,結核病是台灣最嚴重的傳染病,每 36 分鐘就產生一個新病人,是日本的 2 倍、美國的 10 倍。為什麼?

2000 年一項針對大台北地區的頭痛調查顯示,這項調查由國家衛生研究院委託,台北榮民總醫院神經內科與陽明大學執行,從 1997 年到 1999 年,系統抽樣調查共 3,377 人,其中 14.2%的女性及 4.6%的男性有偏頭痛。女性為男性的 3 倍。

我們可以依據這份調查推估全台灣偏頭痛患者約有 150 萬人。為什麼?其中 60 萬的慢性每日頭痛患者中,3 成有濫用藥物的現象;頭痛門診的病患,濫用藥物更高達 5 成。其實,市售的藥物都是短效性的藥物,止痛效果很短,小心越吃頭越痛。

◎台灣每 1 天約有 1.6 人感染愛滋病

2001 年 4 月衛生署發表台灣地區,最新愛滋病通報資料,台灣愛滋病例每年已超過 10%的速度增加中,相較於,愛滋病感染最嚴重的非洲感染人數已下降,以及全球的增加速度甚至是負成長的情況下,台灣的愛滋病例的增加速度卻令人憂心。該年統計,平均每一天約有 1.6 人被感染愛滋病。為什麼?

◎台灣民眾有二成的人長期失眠

2002 年 3 月報載指出,台灣民眾有二成的人長期失眠。為什麼?但將近一半的人不做任何處理,或採取自行購藥或喝酒等錯誤方式處理,嚴重影響個人生活品質及公共安全。台灣榮民總醫院精神部主任蘇東平及臨床呼吸生理科主任蕭光明均表示,長期失眠會影響白天學業、工作及社交,增加高血壓、糖尿病及肥胖

機會，也會使免疫系統減弱，讓人容易生病，再加上整體認知能力的降低，很容易發生公共安全意外。

◎ 國人的健康智商不及格

根據台北醫學大學所提供的調查資料顯示，竟然發現台灣地區竟然有 56%的人，對健康聽天由命或漠不關心。而且有 85%的人認為不生病就是健康。這正驗證了 2001 年衛生署國人健康智商的調查結果——不及格。

如此我們就不難發現，國人健康素質分析的數據會是如此了。國內男女的平均健康指數都只有 50 分出頭，以致長久以來，因著我們錯誤的健康觀念，進而影響健康卻不自知。

先喝熱湯暖暖胃　生食蔬菜多多酶
三吃五穀養養脾　少高蛋白久久歲
——林光常 2002.9.30 於飛機上——

林清標　59歲　（新加坡）

◎排毒餐克服了淋巴血球癌

　　2001 年 7 月間，我例常作全身檢查，結果發現白血球過高，醫生說可能我身體有傷口或發炎。3 個月後醫生又進一步診斷出是慢性淋巴血球血癌，這消息太突然，真的不能接受。

　　比利大哥，除了安慰我之外，還為我安排去上林教授的課。

　　2002 年 7 月 15 日，開始用排毒餐，吃了 3 天，覺得很難吃，很想放棄，後來再想一想，還是多吃幾天吧！

　　2002 年 7 月 18 日，參加林教授的義診。

　　2002 年 7 月 21 日，第 7 天午餐過後突然嘔吐，全身軟綿綿。

　　2002 年 7 月 28 日，第 15 天午餐過後全身無力，非常的疲倦。

　　2002 年 7 月 29 日，第 16 天癌症小組的小姐打電來介紹了健康三寶，以加強排毒與體能，我馬上定貨，隔天就開始服用。

　　開始幾天感到比較沒有體力，頭有點昏，接著慢慢適應。

　　我本來的頸項很緊，可能左邊頸項有點淋巴腫，還有頭的後部左邊常常腫麻，吃了排毒餐後，我的頸項淋巴腫消掉許多，頸項的轉動也比較容易。在之前我曾用過藥布，貼在左邊，腫跑到右邊。兩邊貼，腫跑到後部。我不敢再貼，因為我怕腫毒會到處跑。如今頸項的轉動靈活了許多，也比較舒服，頭暈的現象也減少。

　　不過我體重瘦了 5kg，腰圍減了 5 吋，這還是減肥的良方呢！

第二章

問題在無知與疏忽

「我的民因無知識而滅亡」

（何西阿書第 4 章第 6 節和合本）

「無知的人民，一定衰敗」

何西阿書第 4 章 14 節

（何西阿第 4 章第 14 節）

在我每年數以百計的演講當中，我經常就碰到聽眾告訴我，我所說的致病的飲食與生活習慣正是他們生活的寫照，難怪他們會生病。現在我們就來探討原因並且自我檢測，看看我們在往後的日子是否有機會得到這些疾病。

在教會裡大多的時候，都是談到「靈」的部分，尤其是靈糧堂，偶爾談談「魂」，但「體」卻極少極少，所以一個個屬靈的人身體都很不好。

我在 16 歲的時候讀過一本書叫《屬靈領袖》，由於受益甚大，此後，我就經常反覆讀閱。每次讀到最震撼之處，就是「**上帝給了我們一匹馬，讓我們騎著這匹馬去傳福音，但是我們卻殺了這匹馬**」。而這匹馬就是我們的身體，所以才會如此辛苦。

聖經何西阿書第 4 章第 6 節記著上帝說「**我的民因無知識而滅亡……**」，發現人生有許多錯誤，身體有許多的疾病，都是由於無知和疏忽造成的。一些錯誤的醫學知識，深深地影響我們的健康。特別是一些根深柢固的偏差觀念，更製造出許多的不幸與悲哀。

◎ 何謂無知？

為什麼現代人的免疫力越來越差？

經常聽我博士班的同學告訴我說：「你們中國人很奇怪，為什麼每次都要指揮醫生？」我問「此話怎講？」他就說：「常常這些人帶著小朋友來看病，我檢查後告訴他們，其實這個小朋友沒太嚴重只是感冒，只要多喝水、多休息，自然就會痊癒了。他們卻說你是個很有名的醫生，起碼給小孩打打針、吃個藥，要不然是不是打個點滴呢！」

我們都知道，免疫系統是上帝給我們最好的「國防部隊」，但是我們如果經常打針、吃藥或是打點滴，就會傷害我們的免疫

系統，也就是給敵人提供侵犯我們最好的機會。而這是國人長期錯誤的醫學觀念所造成的。

再舉一個例子說明。我們都知道以前家境不好的人在吃飯的時候，最常在米飯裡加進一些豬油拌勻，這樣吃起來又香又不容易覺得餓，吃得飽就好幹活兒。其實，油不容易被身體消化，所以長時間也不覺得餓。但長久這樣下去，除了胃的負擔很重之外，更會使得血管生病，造成血管硬化。

☉ B 型肝炎帶原者 200 萬人不自知

2002 年 3 月的報導指出，肝病防治基金會自 1990 年起至今，隨機調查了台灣地區 25,390 位 B 肝帶原者與非帶原者，結果發現竟有 2/3 的人，不知已罹有 B 型肝炎。計全台約有 300 萬名 B 型肝炎帶原者。依據美國華盛頓大學流行病教授畢斯理（Dr. Beasley）的研究顯示，B 肝帶原者罹患肝癌的比例是非帶原者的 100 倍。你能不小心嗎？

☉ 純水最好？

國人一個很嚴重的錯誤觀念是，以為純水最好。以為被蒸發過的水分無法載送水中的礦物質及細菌，因此經冷凝變回的純水可說是「絕對純淨」的水，因此廣受畏懼水污染的現代人歡迎。

純水最大的問題不在於它不含礦物質，而在於它 pH 值呈酸性反應。人體健康的體液 pH 值是 7.35～7.45 之間。若體質傾向於酸性，細胞作用就會變差，身體各個器官、組織機能也會減弱；新陳代謝趨緩，廢物則不容易排出；腎臟與肝癌的負擔都會加重，從而導致慢性病形成。

◎ 你會忽略的電磁波

1996 年 2 月 14 日英國物理學家首度公開說明,現代家庭電器用品產生的電磁場,將會導致癌症。由於一般家庭電線管路能吸引帶輻射的氡氣質粒,而「氡」氣已知能導致 40 多種以上的癌症。您知道嗎?

凡是有電能的物質都會釋放電磁波,在電器化的現代社會中,從辦公室到住家,從電視、電腦、行動電話、電燈到各種家電,幾乎到處都是電磁波的發射源。電磁波的傷害是有累積作用的,一旦入侵人體,會持續地潛藏在組織裡,等待誘發癌症發病的時機到來,一併將累積已久的毒素爆發出來。

根據 1998 瑞士國家實驗室家電用品電磁輻射測試報告,一般炒菜使用的排油煙機所釋放出來的輻射是行動電話的 300 倍。換句話說,如果在排油煙機前炒菜 1 分鐘,相當於講手機 300 分鐘。你能不注意嗎?

◎ 喝牛奶能預防骨質疏鬆症?

全世界乳製品消耗量最大的地區──美國、瑞典、英國、芬蘭這四個國家,但它們也是全世界罹患骨質疏鬆症最多的國家。美國婦女從在娘胎裡就喝牛奶,為什麼喝到最後,3 個婦女有 2 個骨質疏鬆症?而中國大陸內地和非洲國家的婦女,一生多生多育孩子,從未喝過牛奶,也沒有骨質疏鬆症,為什麼呢?因為乳製品中含有鈣及大量的蛋白質,身體在消化蛋白質的過程中,會產生一種「氨素」,這是一種強酸物質。

由於健康人的血液是呈 pH 值是 7.35～7.45 弱鹼性的,當有酸性物質進入體內時,我們身體為了保持原來酸鹼度,就需從身體的骨裡釋出鹼性的「鈣」來,結果我們身上原有的骨本就愈來

愈少了。所以越喝牛奶骨質反而越疏鬆。（附錄有專文論述）

這就是我們身體隨著體外環境污染及體內不健康生活及飲食習慣，使得我們體質逐漸轉為酸性，造成細胞癌化的原因了。

◎ 維他命服用過量，毛病更多

近年來，大眾被許多的食品及維他命丸所包圍，美國人花在維他命丸的經費超過 30 億元，約有 40%的美國人每天會吃上一顆維他命丸。根據衛生署統計，國內一年的維他命市場高達 70 億，還不包括從國外進口的產品，我們真的需要這些維他命丸嗎？

有些人認為，合成的維他命可以取代完整食品，並提供給身體適當的營養。事實上，經過合成的維他命並不能，也不應當被用來取代完整的食品。單一或合成的維他命，已沒有天然維他命原本與其他營養素的相互協同作用，無法產生與天然維他命一樣的功效，這種單一維他命不協調性經常被大家忽略，人們天真的以為，大量服用各種合成維他命補充品必然會有益健康，然而研究結果並非如此。

英國健康部門研究結果指出，如果過量攝取維他命對身體是有害的。該委員會發表的「食物、消費品和環境中化學物質的毒性」報告，特別關注維他命 B_6 的過量服用，人們經常為了治療經前緊張、過敏、痤瘡、機能過度亢進、憂鬱症而大量服用維他命 B_6，但是，大於 50 毫克的維他命 B_6 就會對人體的神經系統有副作用，其症狀包括手腳發麻及肌肉無力。

如果過量食用維他命 D 丸，人體就會因此吸收過量的鈣，進而導致血鈣高和軟組織鈣化，對腎臟及心血管系統造成損傷。其他還有食慾降低、噁心及倦怠等。

維他命 E 過量會造成腹瀉、視覺模糊、暈眩，若每天服用超

過 800 單位，容易出現出血和性功能障礙。

維他命 A 過量會導致牙齦出血、腹瀉、暈眩、皮膚乾裂、關節疼痛、頻尿、孕婦胎兒發展受損，嚴重中毒可能致死。

大部分人吃維他命丸的態度，是多吃總比少吃好，這是不對的。雖然維他命丸在特殊狀況下可能有用，但一般人並不需要它。我們需要的應是從均衡飲食中攝取天然來源的維他命，才是最安全有效、且最易被人體吸收的方法。

◎ 過度依賴醫生

美國 2000 年曾經因為一項調查指出，每年可能有高達 100,000 民眾，不幸死於各種原因的醫療誤失，這項調查結果震驚各界。英國醫界最近也出現這樣的聲音，BBC Health 2000 年的報導，英國每年約有 20,000～30,000 名民眾不幸成為現代醫療誤失的犧牲者。

西醫基本上是一個塊狀醫學，它的概念均是個別的；例如，今天我們肚子痛，到醫院門診，醫療人員一定只針對腹部器官加以檢查。這樣的局部觀念，在醫治的過程可能會造成不適當的結果。

而中醫提供了一個重要的醫學觀念，認為人是不可切割的整體，人的五臟六腑是相關的，有了這個觀念我們就很容易了解，我們器官的功能是有相關聯性，牽一髮則動全身，就好像一棟房子的結構，從地基建起，樑柱結構，到外牆外觀，缺少一項都會影響房子的結構，絕不可能因為某個樑柱不好就拆除，那整個房子就會垮下來。

◎ 醫學界的錯誤觀念

長久以來，美國的醫學界營養學界犯了一個很大的錯誤，認

為脂肪的攝取量要占總飲食熱量的 40%，這就是導致日後心臟病及癌症的原因。其實脂肪的攝取量應該降到 10%。例如，母乳是最好最天然的食品，而脂肪只占 4%。

到了 1996 年，美國的醫學界營養學界才醒悟過來，重新公布國民飲食建議表，才推翻了長久以來錯誤的飲食建議。過去所建議的飲食是以魚、肉、蛋、奶為主，蔬、果、穀類為輔。結果造成美國 40 年以來，每 2 個人就有 1 個人有心臟病，每 3 個人就有 1 個人有癌症，3 個婦女有 2 個患有骨質疏鬆症，每 20 個人就有 1 個人患有糖尿病。所以在美國，2 個人在打招呼的時候，你不是問「你好嗎？」而是問他「你有心臟病嗎？」，因為你沒有，他一定有嗎？

因此，讓我們生病的原因，多數是源於錯誤的飲食與生活習慣。所以我們必須具備正確的知識，好像我們具備屬靈的知識一樣，可以對我們形成保護的作用。否則，**由於無知與疏忽，所造成的傷痛與災禍，經常是難以彌補的**。這是我們虧欠上帝所給我們最好的禮物。

◎ 疏忽所引發的不幸

2002 年 2 月震撼各界的消息，交通大學春節期間紛傳教授英年早逝，分別是教務長、電子工程系教授沈文仁 2 月 19 日因肺癌過世，電信工程系教授張柏榮 2 月 4 日猝逝，機械工程系副教授金甘平 2 月 8 日突然昏迷過世。

沈文仁教務長因肺癌末期，走完他 52 年的人生；張柏榮教授因經年累月對學術研究廢寢忘食，近來頸部疼痛不以為意，得年 45 歲；金甘平副教授任則是誰也料不到，以他 42 歲青壯之年，因一場感冒，昏迷 3 天後過世。

據其親友表示，他們工作都像拚命三郎，沒日沒夜投入學術

研究，精神緊繃達到臨界點。他們都是由於過度勞累和壓力大，而導致免疫力和內分泌失調，加上嚴重對健康的疏忽，以致使他們投入再多的研究，也要因此而劃上句號。只剩各界的不勝唏噓。

○ 感冒間接導致尿毒症

我們都知道，腦神經外科醫生在進行腦部手術時，往往是在極度壓力、緊張及集中精神中去進行手術，因此身體常常需要承受相當大的負荷。

國內某大醫院從國外聘請一位知名度高且優秀的腦神經外科醫生。他就是因為在一次的感冒中，由於疏忽沒注意，以致感冒一個禮拜沒好，兩個禮拜沒好，一直到第三個禮拜不僅還沒好，而且還越來越嚴重。結果有一天早上下不了床，而緊急送到醫院。當然這次他在醫院不是醫師，而是病人。

經檢查後發現，他因為重感冒導致引起腎絲球腎炎，腎絲球腎炎導致尿毒症，現在一個禮拜洗腎三天。他當時才40歲而已。他必須花一個禮拜三次，每次四到五小時的時間去洗腎，以致他有許多事都不能做了。試想，如果我們有這些時間可以去親近神、傳福音或自我成長，那有多好！

我們不難發現，由於免疫出問題，以致讓小小的感冒導致這麼大的疾病，可見免疫系統對我們的重要。這就是由於疏忽導致一生都難以彌補的遺憾。所以我特別強調如果感冒連續超過三個禮拜，一直都沒好，那就要注意可能是免疫系統出問題了。

因疏忽而導致的醫療糾紛，也屢見不鮮。根據美國 CNN 在2000 年報導中引述，Instuitute of Medicine 的報告，醫療過失在美國一年可能奪去了 4 萬 4 千至 9 萬 8 千人的性命，比起全美國一年車禍喪生的 4 萬 2 千條生命還要多，聽起來頗為驚人。其中

最為嚴重的就是處方藥的使用不當，還有醫護人員的疏忽、院內感染……等等醫療疏失。

2002 年 4 月在新竹市，就發生麻醉護士誤將止血劑當麻醉藥打入待產孕婦之腰椎，造成一屍兩命。此外從切除子宮肌瘤反賠上一顆腎臟，到健康檢查做大腸鏡卻穿破腸子等件件糾紛，使得醫師和病人的關係對立，任誰也不成不了贏家。

○ 肝功能指數正常，卻罹患肝癌

另外，很重視身體健康狀況，定期安排健康檢查，這是非常值得讚許的；不過，也不能太過相信健康檢查的結果。很多人誤以為健康檢查正常，就是拿到健康保單，但還是有很多健康檢查沒問題的人，在無預期下，突然生重病或驟然離開人世。以心臟病為例，相關症狀有上百種，如心律不整、缺氧等問題，就是普通心電圖也查不出來的。健康檢查通常只做普通心電圖，如果做運動心電圖，就必須有醫師在旁，成本相當高。這也導致一般健康檢查，查看不出潛藏心臟病。

在 1999 年 2 月 23 日，中時晚報第四版所刊登的今日焦點報導，報導的篇幅幾乎占了整版的版面。大標題是：「他肝功能指數正常，卻罹患肝癌」。原因是某大醫院一位年 37 歲的主治醫生，所測肝功能指數 （GOT、GPT）一切正常，其實他已患肝癌，當時他的肝腫瘤大約 10 公分大，而且肝臟已被撐破。

病人接受的肝功能檢查，是肝臟檢查項目中最讓人耳熟能詳的一種檢查，所以臨床上有太多太多人都迷信肝功能指數，以為指數正常就一切 OK。這樣的誤解，連許多專業醫師都會犯。

其實，肝在早期，肝指數不會高，因為肝癌在生長的時候，只有在肝臟周圍被肝癌壓迫侵犯的肝細胞才會壞死，因此，GOT、GPT 指數仍可能是正常的，即使會升高，指數也不會太

高。結果缺乏這些知識，一樁樁喪失先機的悲劇，就一而再、再而三的發生。

○ 5月健檢正常，8月發現腫瘤

在 2001 年 8 月 19 日的各大報均詳加報導，指出，一名 32 歲的女性在該年 5 月份，到台北榮民總醫院做健康檢查，檢驗結果一切正常。但該女性於 8 月初開始覺得不舒適，所以再次回到醫院檢查時，赫然發現在她的肺部出現 15 公分的惡性腫瘤。

當這篇報導登出時，各界譁然，為什麼才三個月結果會差那麼多？經醫生指出，該名女子 5 月份所照的 X 光，確實沒看到腫瘤，或者是因腫瘤非常小以至於 X 光無法顯現。原因是，通常 2 公分以下的腫瘤，很多是檢查不出來的。

○ 感冒誤為氣喘

根據英國 BBC Health 在 2000 年報導中的調查顯示，特別是發生在年輕醫師身上，的確會發生一些誤診或錯誤，比較常見的是：程序上的（40%）、誤診（29%）、開錯藥或劑量錯誤（27%）、手術中的錯失（4%）。大部分的受訪醫師都承認，發生錯誤通常不是太嚴重的錯誤，但是當他們太勞累時，發生錯誤的機會就大增。

2002 年 1 月時發現，許多病患由於乾咳型的感冒，至醫院求診，被誤診為氣喘，進而開給氣喘的藥物，反而讓病患越咳越厲害。由於秋冬是氣喘好發的季節，加上某些症狀與氣喘相似，因此被誤以為是氣喘病，讓病患平白無故的加重病情。

○ 健康靠自己

醫生學的是醫學，他們的專長都在治病，而不是保健。因此

醫生多半不擅長指導病人飲食及生活習慣，所以我們自然也就忽略了飲食及生活習慣的重要。時至今日，號稱醫學發達的美國，其醫學院的教育均不甚注重營養學與免疫學的課程，殊爲可惜。

我常告訴病人，「生病看醫生，健康靠自己」，不良的生活習慣讓人生病，健康源自於健康的習慣。生病是多方面的原因造成的，健康也要全方位來下手。全書後續將爲您詳述生存的五大危機與健康的八大要素。

楊愛珠　（新加坡）

◎肚子脹痛消失了

我衷心地感謝您，救了我的生命，現在我有生存的希望了。7 月 13 日，我參加了林教授全方位抗癌講座，林教授教我們癌症病友怎樣吃排毒餐，才會把身體內的毒素排出來，上了課之後，我在 7 月 14 日就開始吃排毒餐了。第 1 次吃了排毒餐後，我就排了很多糞便，當時我很害怕，以為這是不正常的現象，比利說這是排毒的好現象。我吃了排毒餐 1 週後，胸口感覺很悶一直想吐又吐不出來，真的很辛苦。睡到半夜起來吐，全都是白色泡沫，感覺很痛苦。可是我相信林教授，因為他救了很多癌症病人，我還是堅持下去。過了第 2 週，吐的現象已經沒有了，可是感覺全身沒有力，很累，一直想睡，頭又痛。到了第 3 週，我感覺肚子消了一點，沒有再脹大了，精神很好，也有力氣了。

我衷心地感謝林教授、東方比利和義工小組。

037

王俊霞　38歲　遼寧中華文化學院副教授　（中國大陸）

◎ 治癒了頑固性便秘症

　　我自幼患有頑固性的便秘，雖不經常乾燥，但因胃腸蠕動慢，時常幾天不便，甚至有時長達一個星期。為了緩解病情，我幾乎用遍了所有的中、西藥物，很多醫生也沒有辦法。久而久之，我的精神負擔加重了，「大便」成為我生活中一大難題，後來我又經常伴有心慌、頭疼、失眠的症狀，皮膚日益乾燥，缺少光澤。自從接受了林教授的「自然醫學」中的「飲食療法」，我開始毫不含糊地採用「排毒餐」，每日早上飲用加入昆布粉的礦泉水600毫升，適量運動後，吃黃瓜、胡蘿蔔、白蘿蔔、西紅柿等，每日早餐主食吃糙米飯，一旦三餐儘量少鹽、少糖、少油、味精一點也不用……如今良好的、健康的飲食習慣給我帶來了無限的快樂，我不再為便秘心慌、頭疼、失眠了，皮膚濕潤有光澤，身輕如燕，記憶力增強，工作精力旺盛得很。

　　感謝林教授給我們帶來了科學、健康的「自然療法」，也忠心祝願更多的朋友在「自然療法」中找回健康。

第三章

提高免疫、無所畏懼

「我的肺腑是祢（上帝）所造的，我在母腹中、祢（上帝）已覆庇我。我要稱謝祢（上帝），因我受造奇妙可畏」。

（詩篇第 139 章第 13、14 節和合本）

「祢（上帝）用筋骨把我全身連結起來，祢（上帝）用肌肉皮膚包住我的筋骨」。

（約伯記第 10 章第 11 節）

◎ 現代文明的健康陷阱

生活在充滿環境污染與忙碌的生活壓力下，各式重口味、強調色香味俱全的飲食刺激，似乎是現代生活的另一種慰藉，然而隱藏在口腹滿足的背後，是各式高脂肪、高膽固醇、高鈉、低纖維、低碳水化合物和化學添加物的陷阱，長期營養失調的結果，造成人體免疫系統功能的失調或衰退，進而衍生為慢性疾病或導致疾病入侵。

以往人們罹患的疾病都圍繞在各種傳染性疾病上，歷經醫療的進步與生活的富裕，科學家用不斷發明的藥物抵抗病毒，到如今，時代的腳步卻將疾病的演變推向另一個可怕的挑戰，癌症、心臟病、高血壓、糖尿病……，面對慢性疾病的侵襲，我們依然無法免於恐懼，因為這些疾病往往來自於讓我們毫不警覺的不良生活環境、錯誤飲食習慣和生活習慣。

過去醫學界就在研究愛滋病，研究是否可以有一種疫苗，只要注射後就永遠不會得愛滋病。而在研究癌症時，就研究是否可以有一種疫苗，只要注射後就永遠不會得癌症。這樣的貢獻，一定可以得諾貝爾獎。但是到今天為止，美國這五十年來，癌症的治療可以說進展是非常非常的緩慢，幾乎沒有什麼大的突破。反而是人體本身的防禦機制—免疫系統，具有不可思議的力量。

事實上，HIV病毒很多人都有，但不見得每 1 個人都會得到愛滋病。在研究中發現，20 個有 HIV 病毒的人當中，有 19 個人的愛滋病會發作，其中 1 個人終身沒有愛滋病。過去的醫學研究，是在研究如何去治療那 19 個愛滋病人，但現在免疫醫學研究則是研究為什麼那一個人沒有得愛滋病。這是一個很偉大的改變及好的開始。

研究已證實，適當的營養可強化免疫系統的功能，因此，在

日常生活中攝取適當的營養對人體的健康非常重要，而一旦身染疾病才開始注意營養，則未免事倍功半了。

我常跟我的癌症病患說，癌症像感冒，只要免疫系統恢復，很自然就會痊癒。因為它跟我們的免疫系統有直接的關聯。

○ 以癌細胞為例

我們正常人每天都會產生 100 個到 200 個癌細胞，40 歲以上則會產生 3,000 到 5,000 個癌細胞，但不代表每一個人都會得到癌症。在日本有 1/3 的機率，在美國也有 1/3 的機率，而台灣則是 1/4 的機率。

免疫細胞中有一種稱為 NK（nature killer）細胞—自然殺手，它主要的功能就是捕捉癌細胞。上帝創造它在我們的身體裡面，就是作為我們的防衛軍，就好像是「導彈」。

一旦我們的免疫系統出問題的時候，這 100 個到 200 個的癌細胞，會慢慢變成 1,000 個到 2,000 個，然後變成 1 萬個到 2 萬個，10 萬個到 20 萬個。一直到 100 萬個癌細胞時，我們可能還是沒有感覺。因為 100 萬個癌細胞，大概只有一根針的針頭那樣大小而已。

接下來，癌細胞不斷的增加，500 萬、1000 萬、1 億、5 億的增加，直到有一天你在身上摸到硬塊時，當那個硬塊大約有 1 公分大時，它至少有 10 億個癌細胞了。但是，親愛的讀者，此時此刻，如果你在你身上摸到硬塊，請你千萬不要緊張，因為並非所有的硬塊，都是癌。就算是癌也無須害怕。

1926 年亞歷山大・弗萊明發明抗生素的時候，醫學界盲目樂觀地認為因此人類不會再有疾病。這樣的想法實在太狂妄。其實從 1926 年到現在，70 多年的時間，人類所能發展出來的抗生素，只有一百多種，而每一種抗生素只能對抗一種細菌。

041

在我們身體的免疫系統健全的時候，只要經過充足的休息、適當的運動以及均衡的營養，我們身體會在 24 小時內自動產生超過 1 億個以上的免疫抗體。所以我們應該恢復上帝所給我們原有的這個偉大免疫設計，而不是依賴外來的藥物。

每當我接觸到許多無助的病患時，我就跟神禱告，能不能研究出一套能解決現代文明病的醫學系統。後來我就把聯合國所公布的四大醫學系統其中的三大醫學統合，即西醫的解剖學、中醫的辨證論治及自然醫學的治療觀，加以整合運用。至今已經發展到一套醫學，可以在一分鐘內將癌症檢查出來，而且甚至是 0.1 公分的惡性腫瘤，不需要任何儀器，只需要一根筷子。

以紅斑性狼瘡為例

我們來談談紅斑性狼瘡，在現代醫學的領域中只要遇到紅斑性狼瘡就頭痛，為什麼呢！此病會影響體內的多種器官，除了侵犯人體的關節、肌肉及免疫系統外，尚會破壞皮膚、腎臟、神經系統、肺臟、心臟及血液相關的器官。紅斑性狼瘡在診治中是免疫系統出了問題，它與類風濕關節炎及硬皮症，同屬於膠原病。現代醫學在治療免疫系統的疾病時，多半是使用類固醇來治療，也是目前唯一能夠用的方法。

在過去許多醫生也幾乎放棄，我遇到這樣的病例時，也是頭痛不已，但是我個人認為放棄治療，對病人來講實在太沈重。

於是，在我努力研究，接觸很多個案後，不管在西醫的領域，或是在中醫的領域，甚至是傳統醫學及自然醫學研究，才發現其實他們有許多共通性。

根據統計紅斑性狼瘡多半發生在女性身上，而且年紀都很輕，發病的比例女性要比男性高出五倍以上。我們來探討女性發病的原因，多數是女性在生理期的時候感冒、發燒，就吃抗生素

消炎；此時心臟的機能就受損，經血無從排出只好逆流，又循經絡迴流進入心臟。心臟又將迴流之經血，隨著血液循環送至身體各處，導致身體發斑，就是紅斑性狼瘡的病源。

於是，我在臨床上的治療會採取三個步驟，幫助病人恢復免疫系統：第一、解肝毒。第二、補心腎。第三則是化淤血，紅斑性狼瘡很快就能痊癒。

○ 新陳代謝正常，要發胖也不容易

據統計，經由吃藥物減肥的人，超過約 80%的人會中途停止用藥，原因是因為吃藥引起副作用，但是藥物停止後，就再復胖，結果造成比原來還胖的狀況。因此，體重就這樣高高低低，身體反而會越來越不健康。

其實減肥就是要控制代謝的問題，只要代謝正常，要胖也不容易。新陳代謝除了會反映肥胖的問題，還有其他的表徵，例如，臉上的痘子。我們的人體是利用肝臟來幫我們過濾油脂，再經由排便排除。但肝臟經過長期的負荷，來不及過濾時，所以只好從皮膚作替代性的排除，否則油脂會進一步帶到腎臟，而破壞腎臟功能。

因此，我們發現，皮膚出現不正常的症狀，這樣的症狀同樣也會出現在小朋友的臉上。以往，我們多半將這樣的症狀，誤以為是青春痘；其實不然。此時肝臟已經受到脂溶性毒素的傷害，而轉由皮膚排毒的方式取代了過濾功能。

○ 免疫系統

根據免疫醫學的觀點，人體 99 %的疾病與免疫功能有關。但人類對於與我們生死存亡關係密切的免疫系統所知非常有限。

免疫系統的結構是繁多而複雜，其主要的淋巴器官由骨髓、

胸腺組成，周圍淋巴器官包括扁桃體、脾、淋巴結、集合淋巴結與盲腸。這些關卡都是用來防堵入侵的毒素及微生物。免疫系統就如一支訓練有素的精銳部隊，隨時處於備戰狀態，為人體執行阻擋外來入侵者的任務。

功能良好的免疫系統隨時處於備戰狀態，為人體負起抵擋外來入侵者的責任，複雜及多變的免疫系統具有防禦疾病、克服疾病，甚至克服環境污染物及毒素所需的武器。值得注意的是，雖然免疫系統的功能令人驚嘆，但仍可能因持續攝取不健康的食物而失效。

1960 年代，當醫學界還不清楚胸腺的功能為何的年代，當人胸腺腫大時，就將胸腺切除，認為這樣是最好的治療方式。一直到了 1990 年才發現，胸腺是身體產生免疫細胞「T」細胞最重要的地方。因此那時候做了一個追蹤調查，發現，凡是失去胸腺者，其中大部分的人都成了癌症患者。

上帝所創造人體的每一個器官，都是巧妙的。我在軍中服役時期，因為不停的發燒而至醫院求診，當時醫生就說這樣的發燒是因為扁桃腺發炎所引起的，所以建議把扁桃腺切除就不會再發燒了。其實，扁桃腺是我們身體免疫系統的第一道防線，為呼吸系統做把關的功能。還好，我當時心想「身體髮膚，受之父母，不可毀傷，孝之始也。」為了孝順，決定不動手術，才有今天健康的本錢。

○ 免疫細胞

免疫細胞是執行免疫系統各項防禦功能的分子。包括白血球，作用如同衛兵崗哨；抗體、自然殺手細胞及細胞毒性 T 細胞（cytotoxicic T-cells），作用如同狙擊手；輔助抑制 T 細胞，負責發出警報；以及清理戰場的巨噬細胞……等。

● 血液裡有紅血球與白血球，大部分的白血球都是免疫細胞。

● 免疫細胞大致可分為二大類：T細胞與B細胞，二者都來自於骨髓，但 T 細胞形成於胸腺，它的主要功能是吞噬外來侵襲物。T細胞的強健，直接影響到癌症的康復。我叫它司令官。

● B細胞最主要的功能是生產各種各類的抗體，就像軍隊裡面的武器，以便讓我們抵禦外來的入侵物。人類B細胞可生產超過10億以上不同種類的抗體。B細胞像是軍團的旅長。

● 巨噬細胞是人體清道夫，它的主要功能在於吞噬外來物及衰竭細胞和任何的入侵物，直到消滅。

● 自然殺手細胞能抵抗各種各樣的癌細胞，而且可以快速消滅掉癌細胞。

簡單地說，免疫系統具有以下功能：

● **保護**：使人體免於病毒、細菌、污染物質及疾病的攻擊。

● **清除**：新陳代謝後的廢物及免疫細胞與敵人打仗時遺留下來的病死傷屍體，都必須藉由免疫細胞加以清除。

● **修補**：修補受損的器官、組織，使其恢復原來的功能。

五穀雜糧最養脾，
脾好胃好身體好。

謝炯房　46歲　（馬來西亞）

◎奇蹟式治癒了白血球過多症（血癌）

　　在 1998 年 8 月我從醫生那裡檢驗出有慢性的白血球過多症（血癌），我當時真的不知該如何是好。9 月開始，我到馬來西亞醫院接受了藥物的治療，但對我功效不大，目前的藥物雖然可以控制病情，但是這是治標不是治本，這也使我的病情從初期轉向第 2 期，使我很苦惱。我也曾轉向中醫求救，但是也沒多大的療效，我體內每天都在發燒，使我非常的痛苦及難受，我再回去馬大醫院找我的主治醫生，他說我沒有發燒又叫我回家，但我體內的熱一直都無法退，再加上後來連我的手腳每天都麻痺，尤其是一到晚上，也就是難受、痛苦的時間，每當我一躺下要入睡，我手腳的麻痺就來了，所以我就要坐起來，等它麻痺消了才再躺下，就這樣重複又重複的使我在夜間就這樣痛苦到天亮。我不知道這痛苦的日子要到何時能了？它讓我感到絕望與無助，幸虧我收聽到新加坡電台東方比利節目中的介紹，讓我認識到了林光常教授。上了他的課也讓我了解到他說的「癌症不是絕症」的演講，使我了解到人體的病根原來是長年累月從飲食得來的。我在接受了林教授的五穀雜糧排毒餐兩個星期後，我感到身體熱氣已完全消失了，我非常高興那麼多年的煎熬痛苦且能在短短的 3 個星期都不見了，我吃了 2 個月的排毒餐竟然忘了晚上睡覺手腳麻痺的痛苦，能一覺到天亮。皮膚原有黑色小斑點也消失了，很多是我無意中的發現。我非常感謝林光常教授他那麼有耐心的教導我們去服食排毒餐，使我的身體逐漸的健康，精神也好了。

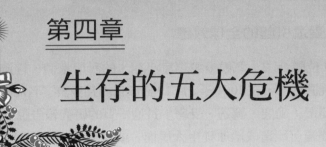

第四章

生存的五大危機

「耶穌又對群眾說：你們一看見西邊有雲彩出現，立刻說『快下雨了』，果然這樣。南風一吹，你們說『天氣要躁熱了』，果然這樣。偽善的人啊！你們很會觀察天地的顏色，為什麼不會洞察這個時代呢？」

（路加福音第 12 章 54～56 節）

◎ 氣候變遷引起的全球效應

　　700 位聯合國「氣候變遷專家小組」的科學家們，經過 5 年徹底研究評估後，在 2001 年 2 月 19 日於日內瓦發表了名為「2001年氣候變遷：衝突、調適、受害」長逾千頁的研究報告說，21 世紀氣候變遷可能造成地球發生大規模、或許無法回復的變化，而這將造成全球性的災難。

　　人為的氣候變遷產生的效應會導致更多旋風、旱澇等「怪異」天災；受災最烈地區居民將大批流離失所；生命損失十分龐大；蚊蚋會擴大棲息範圍，使瘧疾為害的風險加大，孟加拉虎等物種將因棲息地遭破壞而滅絕。

　　該報告指出，全球暖化將使溫帶北部地區農產增加，但為害熱帶農業，進一步擴大了工業富國與貧窮的開發中國家間的貧富差距。其中非洲、亞洲和拉丁美洲的窮國將受害最深。

　　當我們每天接觸的資訊，隨處可見空氣污染、水源污染、酸雨的訊息爆炸。2002 年世界衛生組織在渥太華開會，與會學者發表由最近研究的發現，更加肯定環境污染與乳癌間的關聯。與乳癌最相關的污染源，尤其是以殺蟲劑最受重視。而乳癌又是世界上較富裕地區婦女癌症罹患率的第 1 或第 2 名。

◎ 家庭主婦比上班族女性更易致癌

　　根據世界衛生組織的戴維斯博士（Dr. pevra Lee David）長期觀察研究顯示，波羅的海附近有許多海域受到污染，吃下這地區的魚獲物的婦女在乳癌患率上比其他地區高。丹麥的流行病學研究則指出，婦女經常接觸 DDT 和紅色 3 號色素者，得乳癌的機會比較高。「這種污染可能會發生在許多地區，而且潛伏在人體數十年才發病」。

　　醫學博士哈諾得‧蓋博指出：60％以上的疾病是居家環境所造成。你是否常有疲勞、頭痛、喉嚨痛、全身酸痛、呼吸淺促的症狀，而醫師卻檢查不出問題何在？一般人萬萬沒有想到，如上的症狀，很多都是因為住家充斥著可導致疾病的各種有毒化學物質。

　　致癌的原因 35 ％~60 ％是飲食習慣，30 ％是情緒劇變，10％～35 ％的因素則為不良生活習慣、環境或遺傳等。而最近衛生署之調查也證明台北市、高雄市等大都會地區，男性肺癌、女性乳癌的發生率高於其他城鎮，推測原因可能是大都市人口密集、空氣污染及活動空間減少有關，但並沒有學理證實。

　　美國公共衛生局的一份報告指出：不管是直接或間接，各種主要的慢性疾病，無一不與環境因素的介入有關。一份最新研究發現，對心臟病高危險群人士來說，嚴重空氣污染會誘發心臟病，即使只是短時間身處空氣污濁的地方，也可能會增加發生心臟病的危險。

049

　　聯合國一項長期研究顯示，家庭主婦得癌症比率比上班族女性高出 55%。這是因為家庭的空氣汙染比室外還嚴重。廚房油煙清潔劑、玻璃清潔劑、殺蟲劑、浴廁清潔劑……在噴或在清洗的時候，不知不覺被吸入、滲入體內。

　　在化學物質氾濫的今天，家中的殺蟲劑或清潔劑等早已傷害了我們的孩子，請不要忽視這種環境疾病的嚴重性，因為他是一切絕症的根源。

◎ 人體賀爾蒙受環境賀爾蒙的影響甚鉅

　　1999 年，比利時乳製品含戴奧辛案，舉世譁然。而英國一份報導更指出，全球各地的母乳樣本，發現含有戴奧辛及殺蟲劑等多種有毒物質，再度引發各界對於「環境賀爾蒙」的激烈討論。

專家大膽預言，「環境賀爾蒙」將繼 DDT 後為人類帶來世紀性的危害，甚至是滅種的危機。

究竟什麼是「環境賀爾蒙」？它指的是外來或人造化學物質進入生物體後，產生類似賀爾蒙的影響，破壞、干擾生物原有分泌系統平衡及功能，對生長、發育及生殖等產生不良影響。而環境賀爾蒙物質具有「長期累積」及「難分解」的特性。

環境賀爾蒙逐漸受到重視與地球生物及自然環境不斷出現、令人費解的不尋常現象有關，例如美國佛羅里達州的岸灣有 80% 的禿鷹不孕；英格蘭地區水獺消失；最近更發現北極的兩隻小雌性北極熊，身上竟出現雄性的生殖器，形成雌雄同體。

在人體方面，丹麥的男性從 1940 到 1980 年間，罹患睪丸癌的比例跳升了 3 倍，同時發現了多變性、不正常的精蟲；1998 年日本更發現日本男子每 50 個人中，只有 2 人擁有正常的精子。其中更有相關的報導指出，DDT 會使野生動物女性化，它會使男人精蟲量下降、提高乳癌的罹患率。特別是英國的醫學期刊中一篇著名的報告提到，近 50 年來，全球男人的平均精蟲數，已大幅減少 50 %。

而台灣早在 20 年前中部地區，發生米糠油多氯聯苯中毒事件，則追蹤發現不論是男性或女性，罹患甲狀腺腫大的數量增加。而其下一代，則有性發育受到干擾及智力發展方面的問題。又台灣環境基金會公布說市售魚類含有機氯和農藥殘餘物，這些毒物不易分解，隨雨水流入大海再經食物鏈關係，蓄積在魚體內。

大家都知道，環境的問題絕對不僅僅只是產業界的問題，即使是個人或社區的生活環境問題，其實均與整體環境品質密切相關，不可不察。常有些看似微不足道，卻與環境品質息息相關而影響深遠。

　　日常生活當中與我們息息相關的就是陽光、空氣和水。我們爲了貪圖更先進的生活、舒適的生活環境等等因素，生產了各式各樣的科技產品，而製造污染、耗費能源。而大量排放出散熱作用很慢的二氧化碳氣體到大自然中，加上科技進步人類大量使用氟氯碳化物（產品有保麗龍、冷媒、海龍滅火器、泡棉、噴霧劑、電子迴路精密零件的洗潔劑等等）。

　　其實從台灣頭走到台灣尾，垃圾淹腳目、河川污染混濁、核廢料威脅、汽機車排放廢氣，使台灣整體環境已成嚴重超負荷。1999 年環保聯盟指出，台灣現有 21 條主要河川，未受污染或稍微受到污染者占 62.3%，輕度污染者占 10.5%，中度污染者占 13.8%，嚴重污染者占 13.4%。

　　以上這些令人憂心的環境賀爾蒙物質，會透過食物鏈進入生物體，並成爲大環境的一種循環，貽禍下一代，成爲跨世紀滅種的危機。

◎ 人類創造癌症環境

　　什麼是癌症形成的原因？其實是我們創造了癌細胞生存發展的環境。所以如果你創造了癌症的環境，不得癌症才奇怪。

　　而如果你沒有創造了癌症的環境，那麼你就不用害怕，癌症絕對跟你無緣。就好像我們回到家，發現地板濕了，我們就擦地板，如果又濕了，我們就再擦。地板為什麼濕了，原來天花板漏雨了。我們應該修天花板，而不是不斷的擦地板。

　　所以如果我們癌症的體質沒有改變，如果我們中風的體質沒有改變，如果我們糖尿病的體質沒有改變，我們只靠胰島素的注射，只是靠降血壓藥的控制，只是靠放療、化療、手術，就算腫瘤切除，未來還是會再長，而且會長得更多。因爲身體內在的環境還適合癌細胞生存，這才是真正問題的所在。

　　其實現代人的體質比過去的人差很多，但是有人會說，統計的平均年齡是在延長的。事實上，我們的平均年齡並沒有延長，只是嬰兒的夭折率降低。舊約聖經創世記第六章就很清楚的告訴我們，我們可以活到 120 歲的。

　　中醫最重要的經典「內經」也講到「上壽百二十，中壽百歲，下壽八十」也就是說最差也應該活到 80 歲，而 120 歲才是應有的歲數。台灣平均壽命只有 76 歲而已，所以我們的平均年齡不僅沒有延長，還在 50 歲以後，拖著帶病的身體生活。

　　我們常常發現，許多人在 40 歲以前，很努力的付出，追求他人生所想要的，可是他是用他的健康來換取他夢想的實現。當他 40 歲後，發現身體已經不行了，於是他又用他追求來的一切去換取健康，但是怎樣也換不回來了。所以如果有可能，應該儘早為我們的身體做些準備工作，我們未來才有健康的身體做想做的事。

　　底下接著細談我們生存的第一個危機……。

楊　樹　52 歲　（中國大陸）

◎ 淋巴癌消失了

　　2000 年 11 月被中國醫科大學、瀋陽五院、瀋陽腫瘤醫院確診為鼻咽癌轉淋巴癌。後做了手術，進行了放療、化療。本人最大特點是開朗、樂觀。自 2002 年 6 月 28 日接受林教授食療，認真、嚴格遵照排毒餐膳食。每天吃胡蘿汁、菜汁、果汁，主食完全用粗糧，排毒餐中禁食的食物一律不吃。為了使自己少吃鹽，用少量乾蝦皮代替，中餐食用胡蘿蔔渣、魚瓜渣、全麥麵粉做的菜團子。晚間吃糙米粥、玉米煎餅。

　　整整一個月下來，體重由原來的 193 斤，減到 174 斤，排便順暢、量增多，精力旺盛。沒有任何腫瘤反應。

喜樂的心，乃是良藥，
憂傷的靈，使骨枯乾。
～聖經～

一、空　氣

在本章我們來探討，什麼原因使我們健康低落、體能下降、免疫衰退。

首先來談是空氣的問題。

台灣省醫師學會在 2001 年五月發布一份全台的統計報告，在台灣每三個孩子就有一個罹患支氣管方面的疾病。在我某一次的演講中，我提到這份數據報告，當場就有一位母親舉手說，教授你講錯了，我們家三個小孩，三個全都有氣喘。

根據一份 2000 年國外報導，空氣污染造成奧地利、法國和瑞士一年約有 40,000 人死亡，並造成 25,000 個新的氣喘病例及 50 萬例的氣喘發作。

○ 大氣層

有害氣體會破壞大氣層的臭氧層，間接的造成紫外線指數增加，對人類健康會造成很大威脅，加上氣候帶位移引發動物大遷徙，屆時極可能促使腦炎、狂犬病、登格熱、黃熱病等疾病的大規模蔓延，後果相當可怕。而下雨量不平均引起水災、旱災等對農作物生產有莫大的影響。我們現在正面臨的就是地球最大危機的時代。

近年來沙塵暴問題逐漸成為大陸環保專家的注視焦點，之所以如此，在於它的發生已經越來越頻繁，受它影響的範圍也越來越大。

○ 汽機車廢氣

我們也聽說過，有些小孩到了美國後，就沒有呼吸系統的毛

病了。是什麼原因呢？其實跟空氣品質有直接的關係。我們所居住的這個環境，不只是 2,300 多萬人，汽機車擁有超過 1,100 萬輛，而汽機車所排出的廢氣，經過陽光照射，吸入體內就成為致癌物。

　　為了降低汽油燃燒排放出高濃度的鉛，從 80 年代開始，汽油添加「甲基第三丁基醚」（MTBE）成為無鉛汽油。但近來經研究證實，MTBE 的確具有致癌性，而且可怕的是 MTBE 具高度的水溶性，會藉由地下儲油槽、油管的漏出，而輕易地滲入地下水中。僅是台灣每年的使用量就高達 32 萬噸，您說是不是很危險！

　　流行病學的研究報告指出，住在靠近街道、交通頻繁地區的居民，過敏疾病發生的機率增加。主要是因為檢查出這些居民普遍肺部的功能比居住在其他地區的居民差。肺功能降低的情形，相對的會增加對過敏原的過敏度，較容易導致過敏疾病的發作。

055

○ 寺廟懸浮微粒偏高

　　根據中山醫學院公共衛生系龍世俊教授研究發現，寺廟內的懸浮微粒是一般居家的 5 到 16 倍，而農曆初一、十五的懸浮微粒更高於平常，其中成分如多環芳香煙更是致癌物，可能影響健康。故寺廟香火愈旺，對香客健康愈有不利影響。

　　再則，香港環境保護署也證實，燒香會產生一種叫「甲醛」的化學氣體，人體若吸入過高濃度的甲醛，將會引發呼吸氣管和眼睛極度不適症狀，而且如果長期接觸也將導致溼疹或全身過敏等現象。

　　最後，根據國防醫學院金忠孝教授指出，燒香及燒金紙等的煙塵中含有燃燒不完全的碳氫化合物，人體肺臟在吸入後，容易積存在肺泡內，產生慢性的刺激，而引起白血球凝集。白血球本

能的釋放出氧游離基來破壞外來物，但也同時破壞肺泡組織，引起肺泡細胞產生細胞死亡及基因突變，長時間下來可能引起肺癌。此外，這些煙塵中也含有大量因燃燒不完全所產生的一氧化碳，一氧化碳對於人體紅血球中血紅素的親和力比氧氣還大 300 倍，故會使人體產生慢性一氧化碳中毒的症狀，如嘴唇和眼眶發紫、呼吸困難等缺氧狀況。

◎ 大樓症候群

大樓症候群（Sick Building Syndrome）這個名詞於 1970 年代首度使用，指的是長期在大樓活動這一特定族群所發生的特定症狀，而症狀的發生可能與置身於某棟大樓時間點有關。雖然「大樓症候群」不一定是指辦公室，但導致此症狀的典型地點還是以辦公大樓為主。　一般來說，「大樓症候群」的抱怨範圍涵蓋了特定與非特定症狀。除了嗜睡、疲累、頭疼、暈眩、噁心、黏膜發炎、對異味敏感這些抱怨之外，其他常見的症狀還有眼睛或鼻咽發炎、鼻炎或鼻塞、注意力無法集中，以及虛弱不適等。

◎ 每抽一根煙減少 11 分鐘壽命

80%以上的慢性肺阻塞疾病是由吸煙引起的。吸煙會影響肺功能，是影響免疫系統機能、造成心臟血管病變的危險因素，並且會促進動脈產生粥狀硬化，是引發冠狀動脈心臟病與腦中風等心血管疾病的主要危險因素，更嚴重的是誘發癌症的主要死因。

抽煙為何會導致肺癌呢？根據研究，香煙當中大約有 20 種致癌物已被證實可以在實驗動物和成人造成肺部腫瘤，因此可能導致肺癌，這其中多環芳香碳氫化合物，和 4-甲基亞硝酸-1-3 砒多-1-丁酸可能扮演最主要的角色。英國方面的研究發現，每抽一根煙減少 11 分鐘的壽命。

　　研究指出：一天平均抽一包香煙的人，平時家中測出的煙霧濃度約為 20 微克每立方公尺，然而點燃抽煙時所測出的煙霧濃度高達 500～1,000 微克每立方毫米。距離吸煙的人 50 公分以內吸入的二手煙是吸煙人本身吸收的 10 倍以上，因此，絕對不容忽視二手煙嚴重性。

　　吸煙的人只吸到 10 ％的煙，剩下 90 ％變成二手煙。要是循環過濾不完全，這些二手煙就會一直存在中央空調系統的通風中，其他不吸煙的辦公室，一樣會聞到煙味就是這個道理。更可怕的是，在同一房間內，吸二手煙的人其血液和尿中的尼古丁濃度比抽煙的人來得高。

　　抽煙或常吸二手煙的女性會有提早停經、皮膚容易老化、骨骼脆弱的現象。孕婦吸煙或暴露在二手煙中會使得新生兒早產、體重減輕、智力發育較差，並增加流產、胎兒死亡、新生兒死亡的機率。消化性潰瘍在吸煙者較非吸煙者普遍，且潰瘍部位也較不易治癒。

　　在兒童方面，暴露於二手煙者與其支氣管炎、慢性咳嗽、肺癌、肺功能衰退、中耳炎等症狀，都有因果關係，並會增加兒童氣喘的發作次數、使其病情惡化。因此，二手煙已經由美國環保署認定為 A 類致癌物質（即已知會使人類致癌的物質）。

◎ 空調症候群

　　現代人則為什麼越運動身體越差，因為運動的環境是在城市裡建築物的冷氣房裡，這樣運動只有讓身體越來越差而已！2000年 7 月 14 日中國時報有一份很有價值的報導，台北醫學院家庭醫學科謝瀛華醫師指出，現代人普遍身體不好的主要原因之一是，負離子的缺乏，不僅是在都市，特別是在冷氣空調屋內。

　　專家認為空調機是各種細菌、黴菌的大容器，這些菌類都會

因空調機儲水、溫度適宜而繁殖。裝上空調機後，室內外存在一定的溫度差。離開空調場所，會全身冒汗，帶有汗水的皮膚可能沾污細菌，而當返回空調場所時，皮膚遇冷突然收縮，細菌便進入體內，容易得病。

謝瀛華醫師指出，如果您感到下肢酸痛無力、頭痛頭昏、頭漲頭重、失眠疲勞、嘔心便秘、口乾鼻癢、注意力不集中、更嚴重的是血壓升高，心跳加快、白血球減少等徵兆出現，你就是缺乏負離子，但是你不需要吃藥，只要補充負離子就可痊癒。

這是因為空調機處理後的空氣缺乏負離子。而負離子是體內呼吸必不可少的，它能刺激神經末梢感受器，不僅對中樞神經系統產生良好作用，而且能隨著血液循環把負電荷送到全身的組織細胞中，促進細胞代謝活躍、免疫功能增加，使呼吸道不受感染，並產生鎮靜作用。空調機反覆過濾，喪失了大量的負離子，卻使室內的正離子大量增加，導致人體失衡，神經功能紊亂、免疫功能下降而易患病。

由於低溫最易引起婦女的自律神經紊亂，所以婦女特別容易罹患空調症。空調症也容易在慢性病人身上發生，而又反過來加重了原有的慢性病。

但很麻煩的是，現代都市中負離子已經愈來愈稀少了；相反地，卻到處都充滿了有害人體健康的正離子，如電氣、化纖、塑膠製品等。眾所周知德國是全世界醫藥最發達的國家、日本是全世界最長壽的國家，而這兩個國家又是推廣森林浴最積極的國家，就是因為森林裡面有大量的負離子。

○ 負離子對身體的幫助

我們發現年紀越輕，體力恢復得就越快。如果小朋友跌倒，拍拍屁股，起來就走了；但是老人家跌倒，拍拍屁股，卻還趴在

那裡。原來，小孩子身上的負離子占 80 ％，正離子占 20 ％；但是年齡過了 40 以後，正離子就會大大的提高，而負離子卻逐漸地減少。更嚴重的是，居住在城市的我們根本沒有機會吸收到負離子。

記得在我服兵役時，擔任輔導長的任務，帶著阿兵哥在黃土地或草地上行軍時，都不會覺得累，但是在走到柏油路上時，他們都很容易中暑。我想這時候，讀者已經知道答案了。對了，黃土地或草地會釋放負離子，而柏油路釋放的卻是正離子。

所有宇宙萬物都是由元素所構成，目前已知的元素有 109 種，而元素是由原子所構成，而原子又是由原子核及電子所構成，電子環繞著原子核。原子核帶正電，電子帶負電。它就是一個平衡。

所以中國傳統醫學觀念裡頭談到，當我們陰陽失衡的時候（也就是西方所講的正負）百病就容易叢生。負電被吸走，就叫做氧化；回歸後，就叫做還原。所以我們會生病，就是氧化的速度超過還原的速度。而氧化的極至就是死亡。健康的秘訣就是減少氧化，增加還原。

假設我們周遭的環境有大量的正離子，我們身體的負離子就會被吸引走，脫離了原來的軌道，所以身體會感覺很疲憊。在柏油路上行走就是這個道理。同樣的，如果你穿著一雙真皮的鞋子，與一雙塑膠合成的鞋子；如果你穿著一件純棉的衣服，與一件化纖合成的衣服，也完全不一樣。聖經上就曾經說到，不可將兩種材料做成的衣服穿在身上，是非常有道理的。

增加負離子最簡單的方法，就是經常赤腳走在草地上，因為大地本身就會釋放負離子。補充負離子讓身體恢復健康，對糖尿病、高血壓、心臟病、癌症的病患特別有幫助，高血壓病人恢復最快，只要兩個禮拜每天在草皮上、木頭上或是鵝卵石上赤足或

是草鞋走半個小時，就會有很大的不同。

如果我們到剛剛提到的大自然去時，會發現平常只能走半小時的路，在大自然裡卻可以走上兩小時，而且越走越舒服，越走越愉快，越走越有體力。因為身體吸收了大自然釋放出來的負離子。

所以我常告訴我的病患，常到大自然走動。而且我發現在這些地方很少聽到人大聲說話。因為那裡充滿著負離子，補足身體不足的負離子，使身體感覺非常舒暢，心情非常愉快。

李玉娟　（新加坡）

◎ 治癒甲狀腺失調症

我本身是甲狀腺失調者，三年前，醫生為了要根治我的毛病，給我服用一種化學藥物，把過多的甲狀腺除去，使我要長期的服用另一種藥片來補回。如果我兩個月停止服藥，身體就會有發冷、發胖的後遺症產生，另一毛病，就是每天大便不能結條，好像拉肚子似的。

自從上了林教授的課，我就開始吃排毒餐，開始的前幾天，排了許多癈物，每天約有 3 到 4 次。接下來幾天，身體發癢，特別是在手肘處和背部、下巴和項部。第二週排便就能結成條狀，感覺很輕鬆舒服。我吃排毒餐時也暫停了醫生給我的藥，我現在不發胖、不發冷，反而減了 2 公斤呢！

我要繼續的吃排毒餐，希望有一天也能把我項部的骨刺也能排掉，那就更美好了。

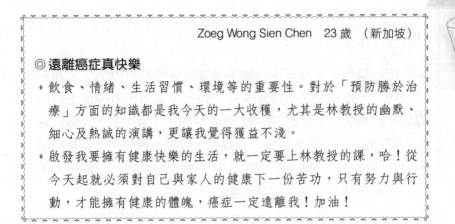

Zoeg Wong Sien Chen　23 歲　（新加坡）

◎ **遠離癌症真快樂**

◆ 飲食、情緒、生活習慣、環境等的重要性。對於「預防勝於治療」方面的知識都是我今天的一大收穫，尤其是林教授的幽默、細心及熱誠的演講，更讓我覺得獲益不淺。

◆ 啟發我要擁有健康快樂的生活，就一定要上林教授的課，哈！從今天起就必須對自己與家人的健康下一份苦功，只有努力與行動，才能擁有健康的體魄，癌症一定遠離我！加油！

美食之道原味嚐，

健康之路八分飽。

二、水

因污染地下水及土壤而被環保署勒令整治的 RCA（美國無線電公司），雖然公司已關閉多年，但最近卻傳出離職員工紛紛罹患癌症的病例，至少已得知有 20 人得癌症，其中有 5 人得乳癌、6 人得肝癌，其他還有肺癌、大腸癌、骨癌、鼻咽癌、卵巢腫瘤、膽管腫瘤等各種癌症。據了解，它們絕大部分是長期飲用公司的水，而公司的水則是來自污染的地下水源。

◎ 過度開發破壞了生態平衡

近年來，台灣經濟發展迅速、人口增加、工業發展及都市擴張，人們在高度開發運用天然資源時，因未能做適當的處理，導致整個生態系的不平衡，進而湖泊優養現象，河川濁黑及枯竭等陸續發生，使生活環境失去調和現象，水污染問題日漸嚴重。

一般所稱的水污染，主要是指由於人為因素直接或間接的將污染物質介入於水體後，變更其物理、化學或生物特性的改變，以致影響水的正常用途或危害國民健康及生活環境。

我想最近這一段時間，在台灣有關水污染所造成的傷害，形成一個非常大的社會輿論，大家都在關注這樣的事情。所以高屏溪事件，檢察官提出起訴。

◎ 地下水是重要的污染源

行政院環保署 1990 年公布的報告中指出，國人賴以作為飲水的所有水源，幾乎都已經受到程度不同的污染。特別是喝地下水有可能造成癌症（尤其是肝癌）、糖尿病、心臟血管疾病（尤其腦中風）、甲狀腺腫大以及烏腳病慢性病患率增加的隱憂，好

比在賭命。

台大公共衛生學院與台北醫學大學公共衛生學系等人研究發現，飲用蘭陽平原部分高含砷量井水的居民，罹患泌尿道癌的機率，較飲用低含砷量者高出 1.5 倍到 4.8 倍，罹患腎臟癌中的移行上皮癌機率更高出 1.9 到 15.3 倍。

類似的案例也發生在台中縣大屯區，由於台灣人民飲用地下水情形十分普遍，而該地區污染工廠林立，以至某一家族 50 多名成員，近年來有 10 多人先後罹患癌症死亡，可能與長期飲用污染的地下水有關。

○ 三氯乙烯的致癌物是美國的 20 倍

環保署曾指定新竹市環保局委外進行的，全國工業區土壤及地下水質污染全面調查，報告證實，新竹科學工業園區 19 號監測井中的三氯乙烯致癌物是美國標準值的 20 倍。

三氯乙烯是半導體、電子業常見的清洗劑，工人暴露在平均值 10ppm 濃度的三氯乙烯下，會感覺頭痛、嗜睡；不慎吸入容易造成行動不協調、視力模糊；若因職業需要長期暴露，可能引起持續性神經炎、觸覺喪失或真皮炎、淚眼症；誤將其當作麻醉藥，還可能引發有致命威脅的肝臟衰竭。

世界衛生組織發現，世界上 80%以上的疾病都跟水源不潔有直接的關係。

在我們的身體中，水分就占了 70 ％左右。如果喝進去的水又不乾淨，身體就不容易好。

地下水、井水都有問題，是不是喝自來水就安全了呢？請看以下這份參考世界衛生組織飲用水水質準則所分析的自來水所含危險物質表：

063

生物及微生物		
項目	主要來源	對人體的影響
一般細菌	廢水、水肥等	細菌污染的指標
大腸菌群	水肥等	糞便污染的指標

影響健康的無機物質		
項目	主要來源	對人體的影響
砷	工業廢水	神經中樞障礙、烏腳病
石綿	工業廢水	致癌
鈹	工業廢水、都市廢水	致癌？
鎘	工業廢水	腎臟障礙、痛痛病
六價鉻	工業廢水	消化系統癌症
氰	工業廢水	大量攝取會致命
氟	礦物、工業廢水	大量攝取會產生布行障礙骨骼氟中毒症
鉛	工業廢水	高濃度使幼兒智慧發展延遲
汞	工業廢水	神經及腎臟的障礙、水俁病
硝酸氮及亞硝酸氮	有機肥料、畜牧廢水	幼兒正鐵血紅素血症、致癌*

影響健康的有機成分		
項目	主要來源	對人體的影響
苯芘(benzo[a]pyrene)	廢棄、煤煙	致癌
四氯化碳	工業廢水	致癌、肝臟障礙
氯苯	溶劑、加氯處理產生	致癌？
氯酚	加氯處理產生	某些種類具有毒性
有機磷	殺蟲劑	神經障礙（農業中毒）
四氯乙烯	紡織工廠廢水、電子工廠廢水	致癌？
三氯乙烯	紡織工廠廢水、加氯處理產生	致癌？
1.1.1－三氯乙烯	有機溶劑	致癌？
三鹵甲烷**	加氯處理產生	致癌

與氣味及顏色有關的成分		
項目	主要來源	對水體的影響
氯離子	海水	氣味
銅	地層	改變產生銅綠（銅銹）
洗潔劑	家庭污水	起泡
鈣、鎂等	地層	硬度改變
鐵	地層	顏色改變（紅水）
錳	地層	顏色改變（黑水）***
有機物	污水、浮游生物等生物	產生異味
鋅	地層	白濁

自來水場均設有水質標準，上列物質大量混入的情形應該是絕無僅有。

* —因產生亞硝胺（nitroso amine）所致
** —包括三氯甲烷、一溴二氯甲烷以及三溴甲烷
*** —因產生氯化錳所致

美國曾在 1971 年至 1985 年間，追踪調查 2100 種不同的化學物質（包括使腦部受損的鉛），結果都在自來水的系統中發現。「台灣的情況又如何呢？」看以下各大報的報導標題您就明白了：「自來水質讓人怵目驚心」、「國內自來水有如先進國家洗澡水」、「水質嚴重惡化，全省水庫 85% 成毒龍潭？」、「淨水場吸毒，飲用水亮紅燈」，真是「喝水不小心，健康就擔心」。

◎ 沸水等於死水

台灣水質污染確實是非常嚴重，但是有個更重要的觀念要傳達給各位，就是我們誤認為煮熟的水才好喝、才健康衛生，因為想藉由煮沸的過程，將水中的氯除掉。但不幸的是，水在除氯的過程，經過高溫燒煮之後，會產生「三鹵甲烷」。

「三鹵甲烷」它是標準的致癌物質，而且只要微量就會導致癌症。行政院環保署也曾經提出一份報告指出，部份自來水中含有人體致癌物質及致突變性物質，而這些物質多與加氯的衍生物「三鹵甲烷」有關。全美國癌症協會更發現，飲用氯水的人罹患膀胱癌的機率是其他人的 2 倍。

「三鹵甲烷」也會破壞食物中維生素以含餘氯的自來水煮飯，米不但吸附了氯，米中含有的維生素約 2/3 也被破壞。美國環保局（E.P.A）工程師 FRANK BELL 已實驗證實，在煮沸自來水過程中，使「三鹵甲烷」急劇加速形成。毒物學研究證實，「三鹵甲烷」是屬於「直接作用在基因上的毒物」。意思是致癌用法極強，微量即有效應。

所以經過煮沸的水，純粹只是水了，而且還可稱之為「死水」。不只是因為它含致癌物質，而且根本沒有氧了。這就是為什麼喝、甚至是洗山泉水（小分子水），會讓身體很舒服的原因

了。

　　建議各位什麼都可以節省，都可以不投資，但一定要有一筆預算，買一台好的濾水器實在太重要了。**因為我們身體的水分每18天更新一次，現在換水，以後就不必換血！**

○ 純水是酸水

　　第二個錯誤的水觀念是，國人多半愛飲用純水，國人誤認為純水是「絕對純淨」的水。

　　其實純水是酸水。我見過許多尿毒症的病人，發現他們多數在家中喝的不是純水就是自來水。我們可以試試看，拿純水澆花，花一定死。養魚，魚死。人喝下去，器官會不受損！

　　純水最大的問題不在於它不含礦物質，而在於它 pH 值呈酸性反應。人體體質的 pH 值是 7.35～7.45 之間，因此人體以弱鹼性較佳。因為一旦體質傾向於酸性，細胞作用就會變差，身體各個器官、組織機能也會減弱；新陳代謝趨緩，廢物則不容易排出；腎臟與肝癌的負擔都會加重，從而導致慢性病形成。

　　事實上，在許多國家只有洗腎的病人才喝純水。同時，有研究顯示，酸性體質的人比較容易老化，也容易覺得疲憊，對於壓力的耐受度亦比較低，他們經常會感到焦慮不安、心神不寧，甚至會為睡眠不足所苦。

　　當我們的體液pH值呈 7.0～7.2 的時候，已經是癌症體質了，所以得到癌症的人，都是體質先酸化的。而純水的 pH 值為 7 以下，在長期飲用的狀況下，無非是創造了癌症的環境，讓癌細胞可以悠遊自在快速發展。

　　所以喝的水出問題，不只是腎會出問題，很可能導致泌尿系統、內分泌系統及生殖系統也出問題。最好的酸鹼值是pH7.4 到7.6 之間，超過 8 則容易變成鹼性中毒。

◎ 水致癌？

癌症是人類健康的最大敵人，但出乎我們意料之外，飲用水的水質居然與癌症有相當大的關係。

早在 1974 年，美國醫學家達瑪提狄恩發表一項聲明：「正常細胞周圍的水構造、水分子整齊的排列著；但癌細胞周圍的水構造、水分子卻紊亂而不穩定。」韓國科學院全武植教授也說：「正常遺傳因子周圍的水，有如保護似的非常整齊的包圍著遺傳因子；而異常遺傳因子周圍的水，其構造就相當紊亂。」

因此，在保護遺傳因子方面，水具有重要的作用。日本著名的「新水會」代表林秀光博士更直接剖析：「並非因為癌症而導致水紊亂，而是由於水分子紊亂才形成癌症。」基於這樣的論點，他和全教授兩人均提出改善水質能預防癌症的看法。

我們常疑惑癌症發病率為何那麼高，甚至連看似健康的壯年人、年輕人，都難逃癌症魔手，這除了飲食及生活習慣重大改變外，環保污染恐怕也脫離不了關係，尤其是水污染。

在我所做的臨床病例中，台灣高雄的居民，幾乎腎臟都不太好，這與水質有密切關係。同時美國加州柏克萊大學一份研究就指出，因砷而導致癌症死亡的風險值是 21‰。而曾經三度代表世界衛生組織，前往孟加拉的流行病學專家史密斯也說：「飲用水中的砷，如今已經成為致癌率最高的來源。」

◎ 洗澡洗得慢，小心癌上身

根據 1986 年美國南加州阿那罕（Anaheim）市，所召開美國化學協會的會議中指出：長時間沖洗熱水澡對健康而言是一種傷害。沐浴時人體直接曝露在有毒的化學物質（氯）中，有毒的化學物質從水中蒸發並直接由皮膚吸收。然而洗澡時所吸入的氯高

達 6 到 100 倍，其含量比喝入人體的多得多。

中國醫藥學院環境醫學研究所研究指出，每人用水量最大的是洗澡，研究中特別以自來水中殘留氯仿的暴露研究，發現洗澡以 10 分鐘計算，體內氯仿總量中有 40％是吸入，30％是皮膚吸收，30％是喝入。但是洗澡時間增加為 20 分鐘時，吸入變成 60％，皮膚吸收為 30％，喝入為 10％，顯示洗澡在密閉空間中，經由呼吸和皮膚吸入的量相當驚人。

據統計，游泳教練由於長期間身體接觸含氯的水，而且是大量的氯，因此當氯透過皮膚、毛細孔進入身體，自然會倚靠肝臟來解毒，以致造成肝臟嚴重的負荷，導致肝功能不好。可以喝大量的好水，再把氯排掉。

目前市場上已有幾家生產家庭SPA，只需在出口處加一個轉換接頭，即可有效將水中的氯和重金屬去除，還大大提高了水的能量，經常沖洗，確實感覺不一樣，如皮膚變得光滑細膩，洗後精神為之一振，您可自己試試！

○ 如何喝水

此外，有一個很有趣的現象是，現代人不太愛喝水，喝水量往往不及基本需水量，但多數人卻認為自己已經喝得夠多了，原來是他們把咖啡、果汁和碳酸飲料等也算進去了。雖然咖啡、果汁、碳酸飲料和茶、牛乳、豆漿、湯都屬於流質食物，均含有相當多的水分；但為了健康著想，最好還是降低它們的比重，多增加飲水比例，儘量培養以好水取代咖啡、紅茶、果汁、碳酸飲料的習慣。尤其咖啡和茶都有利尿作用，容易造成水分大量流失，所以喜歡喝咖啡、茶的人，喝水得比一般人還多才行。

如何正確的喝水？其實每一天把握三個時辰喝水，保證病痛至少好一半以上。一就是早上起床後喝 500c.c.，下午 3 點鐘喝

500c.c.，晚上 9 點再喝 500c.c.。這就是最重要喝水的時間，其他的時間，陸陸續續喝大約 1,000c.c.至 1,500c.c.。特別留意，不要等到口渴才喝，要養成有空就喝水的習慣。

　　當然，我們每日要喝的水並不等於基本需水量，這是因為食物本身就含有相當多的水分。不同食物所含水分比例（含水量）不同，你可以參考下表大致了解。

食物名稱	含水量
米　飯	60%～70%
麵　包	約 40%
餅　乾	3%～4%
肉　類	約 50%
家　禽	65%～70%
牛奶約	90%
軟乳酪	約 60%
奶　油	48%～79%
魚　類	42%～75%
貝　類	約 85%
蔬　菜	約 90%
水　果	75%～90%
水果乾	約 15%
果　醬	約 30%

三、陽　光

生存的第三個危機是陽光的問題。

◎ 攝入陽光賀爾蒙

萬物生長靠太陽。陽光確實是上帝賜給人類取之不盡，用之不竭的健康資源。生活在北極圈的愛斯基摩婦女在漫長黑夜、缺乏陽光的冬季裡，沒有月經，也不會受孕。而生活在赤道附近的少年，性早熟要比北半球早。德國醫學專家指出：許多疾病的致病過程都與陽光照射太少有關，充足的日照能使人免受高血脂、高膽固醇、動脈硬化、風濕病、痤瘡以及牛皮癬等各類疾病的糾纏。

聖經創世記第一章有個很重要的觀念：「上帝第三天創造植物，第四天創造太陽，第五天創造動物。」其實有許多植物完全不需要陽光依然可以生存，那麼爲什麼上帝在創造動物前先創造植物呢？因爲植物會行光合作用，釋放氧，吸收二氧化碳。那又爲什麼在創造動物前先創造太陽呢？因爲陽光照射後產生的臭氧層，會保護所有的動物。很不幸的是，人類的許多「文明」正在破壞臭氧層。

如果我們用光譜儀來分析陽光，分爲可見光、不可見光、紅外線、紫外線、X射線、γ射線等等。而陽光進入地球時會先經過臭氧層，再照射在地球表面。

◎ 臭氧層

何謂臭氧層？大氣中的臭氧絕大部分都集中在離地面大約250公里的上平流層中，稱爲「臭氧層」。

其名雖稱爲層，但實際上臭氧分布各地並不均，且大氣中臭氧的總含量非常少，尚不到 1ppm。這極薄的一層臭氧，對於地球上的生命非常地重要，因爲臭氧能吸收陽光中的紫外線，將其轉換成熱能，只剩極少量能到達地表。但是臭氧層已漸漸消失。

臭氧層消失的原因在於大量的氟氯碳化物排放到空中，經由陽光的照射之後，這些氟氯碳化物開始分解，大量的氯釋出在空氣之中，當遇到臭氧的時候，一連串的化學變化使得臭氧遭到破壞，更嚴重的是一個氯原子將可以破壞一萬個臭氧分子。

○ 紫外線

臭氧層被破壞造成地球紫外線增加，紫外線是致命危險的輻射線，會破壞包括 DNA 在內的生物分子，增加罹患皮膚癌、白內障的機率，而且和許多免疫系統疾病有關。此外，使海洋中的浮游生物受致命的影響，農作減產並加強溫室效應。

但其實我們也常利用紫外線來殺菌，例如我們魚肉、豬肉放在陽光下曝曬殺菌，所以放很久也不會壞。或者一有太陽，大家急著曬被子，目的也是殺菌。

美國科學家指出：身體通過紫外線光束產生的維生素D是太陽送給人類最好的禮物。但由於臭氧層的破裂，有時不恰當的陽光照射也可能造成皮膚的損傷。關鍵在於掌握好曬太陽的時間。

○ 紅外線

在醫學上也很有貢獻的是紅外線，紅外線又分近紅外線、中紅外線、遠紅外線。與我們身體最有關聯的是遠紅外線，我們的身體本來就會釋放遠紅外線，所釋放的量在光譜儀上分析，占身體總放射的 46%。

所以爲什麼手工撖的麵比機器做的麵還要好吃，因爲手所釋

放出來的能量，全部都揉進麵粉裡去了。也就是說，我們要常常擁抱，就是你給我遠紅外線，我給你遠紅外線，也就是能量（ENERGY）。所以不常抱抱，感情一定不好。

但是非常可惜的是，事實上要從陽光中吸收遠紅外線，已經不容易了。現在有三個原因，使我們不容易從陽光中吸收到遠紅外線。第一是太陽經過浩瀚的宇宙到達地球時，已經有許多的遠紅外線自中途散失掉了。第二到達地球以後，在地球 1,800 公尺的高空，有許多的廢氣漂浮物，阻擋了遠紅外線進入地球。第三，更不幸的是，當剩下的遠紅外線進入地球後，卻有許多的鋼筋、水泥、建築物吸走遠紅外線。

當然，現代科技進步，我們也可以透過其他方式得到遠紅外線。我的穿著就選擇以用遠紅外線做的衣服，上至衣服，下至褲子、襪子的布料都是。它非常保暖，大概是棉的三倍暖，夏天又非常透氣。所以才能讓我不管在大陸東北、美國、日本，儘管天氣寒冷至零下 20 度，我只需在原本穿的襯衫、西裝外套再加一件毛背心就可以了。

○ 日曬黃金時段

除了保暖外，遠紅外線製成的衣服，還可以化淤血，消除腰酸背痛，所以我演講十幾個小時也不覺得累。不過市面上的遠紅外線製品以假品劣品居多，各位購買時可要睜亮眼。以下介紹遠紅外線免費獲取法。有關資料顯示，上午 6～9 時的陽光以溫暖柔和的紅外線為主，是一天中最重要的曬太陽黃金時段。第二個時段則是上午 9～10 時與下午 4～6 時，此時，陽光中紫外線增多，是體內儲蓄"陽光賀爾蒙"－維生素 D 的大好時機，尤其是老年人和病人。至於中間的幾個小時，特別是 10 時到下午 4 時，對皮膚有害的紫外線光束含量多，要儘量避免接觸陽光。

四、電磁波

光看以下各國的報導，就值得您重新看待電器用品了！

● 1995 年 1 月 11 日美聯社晚間新聞報導：美國公家機構的電腦行政人員，長期受到電腦輻射的污染，對工作人員的腦部及神經系統造成傷害：12 ％罹患腦瘤，21.8 ％的人不孕，24.4 ％的人生出畸形兒，38 ％的人白內障，78.3 ％的精神官能症。

● 1996 年 2 月 14 日倫敦路透社晚間新聞報導：英國物理學家公開承認，現代家庭電器用品產生的電磁場，將會導致癌症，而且一般家庭電線管路能吸引帶輻射的氡氣質粒，而氡已知會導致 40 種以上的癌症。

● 1999 年 9 月澳洲醫學雜誌指出：電腦、電視、遊樂器所發出的電磁輻射，會導致 17 歲以下 85 ％的孩童得到白血病。

1989 年約翰霍浦金斯大學報告指出，低頻電磁輻射會提高各種癌症的罹患率。台大醫院院長 1995 年 6 月指出，電磁波輻射會造成兒童血癌、腦瘤及淋巴癌等病變。自立晚報 1995 年 10 月 5 日報導，英國新科學家雜誌，電磁波會造成老年痴呆症。

電磁波對血癌發生率的影響，目前已經有非常多的醫學文獻指出，不論電磁波的來源是來自電器設備、高壓電線或家電用品，只要環境中電磁波的背景大於 2 毫高斯，在幾分鐘內改變了人類血癌細胞表面的電荷，造成體內抗體無法和癌細胞作用來消滅血癌細胞，就會增加血癌的發生率。

現在年輕女性中，鈣普遍不足，造成骨質疏鬆、骨質密度減少，易導致骨折，高齡女性大多骨質疏鬆。目前日本有 600 萬人是如此，原因大多是偏食肉蛋奶等高蛋白食物、運動不足、飲酒、抽煙，以及電磁波的影響。

　　1992 年國際電磁輻射會議中，各國專家學者一致證實輻射對人體健康具有相當程度的不良影響，而且都市化程度愈高，年齡層愈低者導致腦瘤及白血病機率愈大。

○ 何謂電磁波過敏症

　　電磁波過敏症是指長期暴露在電磁波環境，<u>輕者會引起頭暈目眩、記憶力減退、耳鳴等現象，重者會破壞免疫系統</u>，增加致癌的機率。其他可能造成神經與過敏的一種症狀，如頭痛、眼灼熱、頭暈、嘔吐、皮膚疹、體弱、關節痛、肌肉痛、麻痺、臉腫脹、疲勞、下腹收縮痛、心律不整、心臟跳動不規則、呼吸困難，另外更嚴重可能會引起中風、沮喪、慌張、精神不集中、平衡感失調、抽筋、淺眠等症狀。

　　電磁波的傷害是有累積作用的，一旦入侵人體，會持續地潛藏在組織裡，等待誘發癌症發病的時機到來，一併將累積已久的毒素爆發出來。佛羅里達州美國海軍航空醫學研究所報告，人體暴露在低周波磁場中，使中性脂肪增加造成動脈硬化，是肥胖、高血壓、心臟病的原因之一。

　　腦內荷爾蒙的異常與自殺有密切關係，電磁波的影響造成小兒自閉症，是小腦的特定部位變化。<u>新生兒幼時細胞分裂活潑，被電磁波攻擊同樣會引起小腦部位變化，導致小兒自閉症。</u>

　　據美國「大腦研究」醫學期刊指出：「電磁波會明顯地抑制動物松果體合成褪黑激素的能力，並使得褪黑激素的分泌減少。」而褪黑激素扮演的是人體內足以抑制癌細胞生長的捍衛者。因此，對女性來說，<u>由於經常使用家電用品，所以免不了暴露於高電磁波的環境裡，電磁波會干擾「褪黑激素」對乳癌細胞有抑制作用，因而使婦女得乳癌的機率大為提高。</u>

　　褪黑激素（Melatonin）有人叫聚黑激素，它是腦部「松果

體」所分泌的一種激素，在 1958 年首先從牛的松果體抽淬物中所分離出來的物質。它可使靑蛙皮膚色素細胞內之黑色素顆粒聚合於細胞核附近（故稱爲聚黑激素），因而使皮膚顏色看起來較淡（故有人叫它褪黑激素）。

就目前所知，褪黑激素的生理功能可能包括：促進睡眠，調節晝夜韻律、影響情緒、性早熟與生殖，可以抗氧化、清除自由基，使身體免疫力增強，有抗癌作用。不過市面上假劣產品較多，會造成胚胎畸形。不過市面上假劣產品較多，請愼選。

◎ 大哥大電磁波會造成胚胎畸形

全球行動電話持有比例高速成長，行動電話也將是未來人類生活中不可或缺的必需品；但大哥大所產生的高電磁波對人腦的危害卻鮮少受人重視。

英國一份網上報章報導，科學家最近發現大哥大所釋放的輕微輻射，足以令發育中的鷄隻胚胎畸形。這項發現，令人擔心人類胚胎亦可能會受影響。科學家認爲，這項研究結果足以提醒人們對問題的警覺。研究人員甚至呼籲孕婦，在未有正式結論前，應避免使用手機爲妙。

美國 George Carlo 博士說：「人類從未如此嚴重的暴露在微波下，而與重要器官（腦部）如此貼近。癌細胞是經年累月的重複性細胞殺傷所造成，長時間如此，到一定的次數與年限，細胞將失去再生能力，突變爲癌細胞，而令人有失去生命之虞」。

尤其腦部的組織相當的愼密與靈敏，並不允許微量的電流或微波在人體腦部流竄。因此，如何使用行動電話，值得聰明的人們警覺。

如果你很健康，並且有良好的免疫系統，使用大哥大可能不會給你帶來什麼健康上的問題，就像有人每天抽 20 支煙持續 15

075

年而不會得肺癌。然而抽煙的危險已慢慢被接受，大部分的人們體內都有致癌的細胞持續在發展，而這些細胞正破壞我們的免疫系統。有數據不斷地顯示只要暴露在電磁波環境中幾分鐘，就會將原有 5% 的致癌因子提升到 95%。

◎ 你會忽略的電磁波

1998 年瑞士國家實驗室家電用品電磁輻射測試指出，一般炒菜用的抽油煙機，所釋放出來的輻射是手機的 300 倍。因為抽油煙機有兩個大的渦輪系統，換句話說，如果在抽油煙機前炒菜 1 分鐘，相當於講手機 300 分鐘。講到這裡，相信許多婦女找到一個很好理由——回去不用做菜了。（不是不作菜，是不用油炒菜！）

◎ 「電腦輻射症候群」危及下一代

最近醫學研究更顯示，40mG（毫高斯）的電磁場可使動物的胚胎的神經管發育異常，易導致頭、頸、眼及脊髓的發展異常。

根據美國、法國、芬蘭的醫學研究指出，包括辦公室機器、家用電器、高壓電輸送電纜等所發送的電磁波，可能與流產、畸形兒、白血病，或是各種癌症的發生有因果關係。

電腦螢幕後面的線圈，產生 15Hz 的周波數，是最易影響精神的、神經的，同時附近的 16Hz 的周波數，會造成從細胞當中激烈的流失鈣離子。鈣離子最有名的任務是在受精時發揮。卵子在精子進入時，細胞尚未分裂前，鈣離子一同進入後，細胞分裂才陸續展開，鈣離子一直擔任引導細胞分裂的任務。

這就是女性電腦使用者受電磁輻射影響導致流產或出生畸型兒不計其數的原因。聯合報 1996 年 11 月 3 日報導，使用電腦的女性、流產及胎兒先天性畸形的發生率提高 40%。資訊協會 1997

年 3 月 29 日世界論壇報導，<u>在電腦前工作 5 小時，輻射量使人短壽一天。</u>

◎ 科技家電，隱藏過敏致癌危機！

居家生活中的各種大小家電發出的電磁波輻射，均是致癌因素之一。就連日光燈也是電磁波的元凶，我們在實驗室中也曾做的一項實驗中，將患有癌症的白老鼠，在日光燈下連續照射 12 小時後，癌症細胞的數量會以倍數增加。

<u>凡是有電的物質都會釋放電磁波，在電氣化的現代社會中，從辦公室到住家，從電視、電腦、行動電話、電燈到各種家電，幾乎到處都是電磁波的發射源。</u>

1997 年 12 月 2 日，原子能委員會輻射偵測中心發布的報導發現，家庭裡面插電的家電，甚至是健康用品等等，它們的輻射要比核電廠的輻射大過 2.8 倍。所以包括選購健康器材時，都必須相當小心。

紐約州衛生局與德克薩斯大學健康科學中心的研究，在培養皿中放置結腸癌細胞，用 60Hz 電磁波照射 24 小時，癌細胞增加繁殖的速度比對照組快數百倍個百分比。又將癌細胞以低周波照射實驗，也得到同樣的結果，不管是高周波或低周波實驗，細胞內的 DNA 染色體受到傷害引發癌症，受到癌細胞的攻擊，T 淋巴球力量減少，等於說電磁波是癌細胞的促進馬達。

因為我們前面有提到，正電會讓人快速的氧化，當然會感覺不舒服。如果要解決這個問題，我們可以在家裡面，<u>多種植一些大葉片的綠色植物。</u>大約一坪種植六株。如此一來，你家恐怕全是花花草草，你連立足之地都沒了。<u>試試備長炭吧！</u>它能有效解決你的問題。<u>看來目前能處理電磁波困境與傷害的，恐怕只有備長炭了！</u>

許銘鍏　7歲　（新加坡）

◎吃排毒餐帶給全家人健康

我的孩子在他4歲到6歲半時，他頸部的病已經花了我們好多錢都沒有辦法醫好，中西醫都找不到答案，讓我們很擔心。自從聽了比利的節目，我很幸運的上到林光常教授的課，我是在7月份開始讓我的孩子吃排毒餐，在我們第1天吃排毒餐，肚子感覺一直很辛苦，而且沒味覺，隔1個小時肚子一直在叫，而且要小孩子吃排毒餐是件不容易的事，我記得第1天吃排毒餐，他一邊吃，一邊吐，又鬧情緒。我告訴他排毒餐含有A到Z的維他命，吃了皮膚會很滑，頸部的問題和排便也會好起來。他聽了這番話就願意吃。2週後，他的頸一直轉，到了第3週，大腿上都長了風膜，直到8月14日我帶孩子去複診，教授告訴我他的脾、頸部、腎，已經好多了，而且他舌頭也不再潰爛了，我好開心。

此外，我先生的膽固醇也很高，他在2002年2月8日去醫院檢查，醫生告訴他如果8月再來檢查還是升高，就要開始吃藥了。後來我先生在外工作，只吃50%的排毒餐就降低膽固醇，如果他每天吃，我相信會更好。真沒想到排毒餐令我一家的健康有這麼大的收益。真開心，多謝林教授賜予我們聽眾一家人健康，賦予我們全新的生活，我也將排毒餐介紹給他人，讓人人得益，也非常感激比利及義工們，謝謝你們。

五、食　物

　　流行病學調查發現 80 ％的癌症與我們的飲食、生活習慣及環境暴露有關，其中飲食因素更扮演舉足輕重的角色。

　　據估計，在歐美國家，所有癌症死因中，約 35 ％至 60 ％與飲食習慣有關。

　　國人在社會經濟快速發展，及中西文化的交流下，飲食型態也有相當幅度的改變，其中熱量及脂肪攝取量在過去 30 年來有顯著的成長，三大營養素（蛋白質、脂肪、醣類）攝取的錯誤對身體內分泌系統的影響，及某些營養素（如維生素、礦物質）的缺乏對體內免疫系統的抑制……等，都是癌症發生的原因。因此在國人膳食型態趨向精緻、高脂肪之際，也應注意到一些相關癌症發生率提高的可能性。

　　台北醫學大學附設醫院營養室在 1999 年，對於台北市進行的學齡前兒童，體位與營養攝取和血液脂質生化的關係研究中發現，其對脂肪攝取占熱量攝取總量 30 ％以上者，占 78.4 ％，相對醣類攝取量與比例低，纖維質的攝取量相當低，蔬菜的攝食量更遠小於衛生署的建議量，而蛋白質的攝取量則高出衛生署對學齡前兒童的每日建議攝取量。

　　事實上，不愛吃蔬菜只是兒童飲食不均衡的冰山一角，現在的孩子，根本是高油、高糖、低纖維的攝食，如汽水、可樂、罐裝飲料、漢堡、薯條、炸雞，這種飲食習慣為往後慢性病的發生埋下因果。

　　慎選飲食與調整飲食習慣是改善體質最直接而快速的方法。一般人的營養，都是從嘴巴吃進去的。也就是說，製造體內負責新陳代謝的每一個細胞的材料，都是由飲食而來。從另一個角度

來看，也可以這麼說：你就是由你吃下去的食物變成的。所以，如果飲食中充滿致癌性物質，日後又怎麼可能不患上癌症？

○ 鎘米

2001 年農委會藥物毒物試驗所發現，雲林虎尾有兩處農地稻米含鎘（Cadmium）量超過食品衛生標準；也就是說，長出了鎘米，引起了社會大眾的恐慌。

被鎘污染的農作物，吃進人體後，大量的鎘會沈積在肝及腎，而引起貧血、肝功能異常及腎小管功能受損。腎小管的功能受損後會使較小分子的蛋白質及鈣由尿中流失，長期之下就會引發軟骨症（osteomalacia）、自發性骨折（pseudofracture）及全身到處疼痛，這就是所謂的痛痛病（Itai-Itai disease）。

○ 肉

肉類腐壞所產生的細菌，少則每公克 10 萬個，多則每公克 9 千萬個，普通燒煮的溫度不能全部殺死這些細菌。令人驚悚的是，美國有關單位發現，患有血癌（潛伏期長，而且有傳染病）的牛和雞越來越多，而他們的小孩得血癌死亡的也越多。

澳洲新南威爾斯教育局保健委員會發現：肉食、加工食品、甜食使兒童愚笨、肥胖、情緒不穩定、精神異常，並且充滿暴力，因此嚴令禁止在校園內販售這些食物和點心。

1998 年 9 月的報導，市售的豬肉、雞肉、鵝肝等肉，均被檢驗出含有大量的氯黴素，而氯黴素就是抗生素。常吃含有抗生素的食物，則會使有害菌種，突變成為抗藥性的病菌，反撲宿主，讓人們束手無策。

而除了添加抗生素外，有些養殖戶添加促進牲畜生長的類固醇或生長賀爾蒙。我想我們都會發現，現在不到 13、14 歲的小

女生，胸部已經發育得非常健全了。而且父母親還非常的高興，其實這是相當危險的。

另外，日前晚間新聞報導指出，在彰化有一位 5 歲的小女孩，已經有第一次的月經了。依中醫學的觀點，女孩子應該正常在 14 歲後才會有第一次的月經。醫學上的研究發現，月經越早來，罹患乳癌的機率越高。而婦產科醫師也懷疑，近年來越來越多的婦女出現子宮肌瘤，也和食物含有賀爾蒙有關。

要吃肉，就得以自己的健康和壽命作為償付的代價。

○ 農藥

根據一份來自 1995 年的報導顯示，預估台灣地區平均每人每天把 0.1 公斤農藥殘留過量的蔬果吃下肚。依瑠公基金會的資料，水果不合格率是 1/3，其中含不得檢出的農藥有 6 成，若扣掉這部分，以過量殘留為 4 成計算，一天就有 916 噸農藥殘留過量水果流入市面。蔬菜輸出有 2 成不合格，若亦不算其中 5 ％含不得輸出藥劑部分，以 15 ％計算，一天也有 1163 噸，合計一天的殘毒過量蔬果就有 2,079 噸。

根據監察院在 2001 年 2 月 13 日所公布「農藥濫用影響國人健康即生態環境」的專案調查報告指出，全國每日平均蔬果消費量達 1 萬餘噸，以不合格率 2 成計，則每日約有 3,000 噸含超量農藥蔬果吃進國人肚中。而衛生單位平均每日只抽驗 5 件，樣本少欠缺代表性，檢測結果根本無法令人信服。

該報告又指出，我國農業普遍過度使用農藥，目前使用的農藥品項超過 500 種，美國有 850 多種，如果再加上從東南亞和其他國家進口蔬果所施用農藥種類，則國人可能吃入的農藥種類將不計其數。但是目前農藥所、藥檢局、標檢局及農藥試驗所可以檢測出的農藥品項總共有 400 多種。因此，我國對於蔬果的農藥

檢驗，不足以檢出所有殘留農藥的全貌，要判斷合格與否根本是 佟誤。蔬菜經相關農政單位檢驗的不合格率是 2 ％，但是監委的 調查報告 100 件中卻有 46 件不合格，怪哉，怪哉！

○ 黃麴毒素

由於台灣是海島型的氣候，一年四季常處於濕熱的狀況，使 許多農作物在儲放時會有發霉的現象，尤其是花生及玉米更是容 易被黃麴黴菌所汙染，而黃麴黴菌會分泌致癌性很強的「黃麴毒 素」。

在許多的動物實驗中已經證明，黃麴毒素可以引發動物的腫 瘤。流行病學的資料顯示，在亞洲、非洲某些花生消耗量較大的 地區，其原發性肝癌之發病率亦增加，因此，推測黃麴毒素的攝 取量與肝癌發病率是成正比的。

事實上，人體並非如此脆弱，一吃到黃麴毒素就會得肝癌， 因為正常的肝臟解毒系統能代謝、移除黃麴毒素。只是很不幸 的，最近的研究發現，將近一半的華人其肝臟無法有效的解毒黃 麴毒素，再加上高脂肪、高熱量的飲食習慣和熬夜與吃消夜的生 活習慣，這些人若不慎吃了黃麴毒素污染的食物，則較容易得到 肝癌，這也是為什麼中國大陸及台灣地區肝癌的發生率居世界之 首的重要原因之一。

○ 食品添加物致癌

據世界衛生組織的一份調查報告表明，在全世界罹患癌症的 500 萬人中，約有 50 ％左右是與食品污染有關的。

拜食品化學與加工技術進步之賜，現代生活中的食品不僅種 類繁多，快速調理及開封即食更是新新人類所熟悉的民生問題之 解決方式。食品添加物廣為人類使用，雖「解決」了新鮮食品易

腐壞、不耐儲藏及季節供應的問題，但也讓我們為這無所不在的、不知其名的化學物之安全性存疑多多。

農藥的濫用與殘留於食物的現象已讓我們夠頭痛的了，但聯合國的世界糧農組織（FAO）與世界衛生組織（WHO）的專家群，對食品添加物之無奈感遠超過對農藥的製造與使用。其原因為何？農藥的使用較集中，較易追蹤研究，但食品添加物隨著加工、銷售而廣泛分布於食品中，長期食用之不良效果很難加以追蹤研究。

各國政府在規範食品添加物之考量有：(1)對人體安全影響之程度，訂出其每日最大允許攝取量；(2)該添加物必須是可被檢測出的，如此才能抽驗其是否超量使用。然而，最大安全攝取量的訂定是以實驗動物研究所換算出的劑量，而多種食物同時吃下後，添加物之交互作用，與使用數種添加物於同一食品之加重效果往往未可得知，因而使得添加物之安全把關工作增加不少不確定性。

食品添加物中，除糖、鹽、酒、醋等可算天然添加物外，極大部分是由實驗室、工廠所製造或純化學合成者，如代糖類之山梨糖醇、糖精等。若依目的來說，食品添加物可分為：

1. 保存用（通稱保存劑）：防腐、抗氧化、殺菌。

2. 加工用：著色、固色、漂白、甘味、調味、香料。

3. 食品製造：品質改良、釀造用、膨鬆。

4. 營養添加劑。

我國目前將食品添加物分為 17 類，除上述四大類外，尚有黏稠劑（芭樂果汁常用）、接著劑、溶劑、乳化劑（冰淇淋需用）等。

○ 錯誤的飲食導致文明病體質

現代人的文明病那麼多，像糖尿病、心臟病，高血壓、癌症，其實是長期的飲食引起的。長期的錯誤飲食導致人體三大文明病體質，(1)酸性體質，(2)缺氧體質，(3)低鉀高鈉的體質。

1. 酸性體質

健康人的血液是呈弱鹼性的，大概 pH 值是 7.35 到 7.45 之間，一般初生嬰兒也都屬弱鹼性體液，但隨著體外環境污染及體內不正常生活及飲食習慣，使我們體質逐漸轉為酸性。85 %的痛風、高血壓、癌症、高脂血症患者，都是酸性體質。

健康代表平衡，包括酸鹼平衡，氣血調和，陰陽協調，各種系統均能相互調節，發揮互助互制之功能。反之，不健康乃生物體從最初輕微之徵候，逐漸發展成定型的疾病，或所謂慢性、退化性，無法恢復，無法痊癒；或快速進展成惡性癌病變，或急性危症等，乃至於死亡。

那是因為在攝取食物時，沒有正確的選擇。所以在 pH 值達到 7.0 到 7.2 之間，已經為癌細胞創造條件，讓它可以加速的成長。而 pH 值為 6.8 時，就會死亡。

董氏基金會的一份報告指出，每天一杯可樂，一年體重會增加 5 公斤。但最重要的是，它是強酸的，pH 值約為 2.5 到 3 之間。純水的 pH 值在 6～6.5 左右，肉類是酸性，酒精、碳酸飲料都較酸，而蔬菜、五穀類、水果等大多比較偏鹼性。

根據統計，國內 70%的人具有酸性體質，酸性體質有一個很大的特徵，罹患慢性疾病的機率很高。因為體質變酸，酵素作用會受到阻礙，內分泌失調，荷爾蒙也會受影響。酸性體質的朋友，一味地吃大魚大肉，只會讓身體越來越糟，要找出問題的根

源,改變你的體質,才是根本解決之道。

酸性體質的人稍作運動即感覺疲勞,上下樓梯容易喘,體態是肥胖、下腹突出。常見的酸性食品包括鷄蛋,精緻的西點、乳酪、烏魚子、柴魚、花生、啤酒、特別是肉類。

熬夜也會使體質變酸。晚上 1 點以後不睡覺,人體的代謝作用由內分泌燃燒,用內分泌燃燒產生的毒素會很多,會使體質變酸。通常熬夜的人得慢性疾病的機率比抽煙或喝酒的人來得高。

酸鹼性食物的區分,大家可能都犯了錯誤觀念,以爲靠舌頭品嚐,以味覺來判定是酸味 或澀味;其實食物的酸鹼性決定於食物中所含礦物質 的種類及含量多寡比率而定。對人類而言,必要礦物質中,與食物的酸鹼性有密切關係 者有八種:鉀、鈉、鈣、鎂、鐵、磷、氯、硫。前五種,進了人體後,就呈現鹼性。

一般而言鹼性食物是含鉀、鈣、鎂等元素較多的食物,體內會形成鹼性物質。相反地,酸性食物就是含有磷、硫、氯元素較多的食物,當食物進入體內後,經過新陳代謝會形成磷酸或硫酸等酸。

動物性食物如魚肉蛋乳類、甜食、油、酒等均屬於酸性食物,而蔬菜、水果等植物性食物則多屬鹼性食物。經常攝取鹼性食物,可保持良好血質,進而增強身體的抵抗力,如果偏愛食酸性食物,而不補充鹼性食物多加調節,則經過一段時日後,就容變成酸性體質。

鹼性食物包括多數蔬菜類、水果類、海藻類。換言之,低熱量的植物性食物幾乎都是鹼性食品。

2. 缺氧體質

細胞內要有大量的氧,發揮清潔和加強免疫系統的功能

1969 年奧爾尼醫生（Dr. Robert C. Olney）領導的研究小組,

發表了臨床實驗報告，證明華貝格博士的理論完全正確。這篇報告發表於 1969 年「應用營養雜誌（Journal of Applied Nutrition）第 11 卷」，以下為部分摘錄：**「我們發現，缺氧或是各種有毒物質對重要的氧化作用〈呼吸〉所造成的阻絕或傷害，是造成惡性腫瘤、濾過性病毒、細菌性或過敏性疾病最重要的原因。有效預防或治療此等疾病有賴於恢復並維持正常的氧化作用。」**

因此我們必須以食物攝取身體必要的氧，使這些的能量在體內可以釋放出來，在這些釋放氧的過程當中，也會有大量的電解質、礦物質微量元素、酵素、氨基酸、氫離子釋放到身體的各個部分，這對身體的免疫機能及細胞的修護都是必不可少的。我們知道身體的每個細胞每 11 個月就會重新修復代謝一次，所以我們要特別注意這些時間攝取，就會為你身體的修復提供最佳氧氣和營養素的基礎。

3. 低鉀高鈉的體質

經過實驗，當鈉過高會造成鉀不足，體內鉀不足，容易造成細胞癌化。當癌症的細胞，因鉀增加的時候，癌細胞會恢復正常，而鈉增加時，正常細胞會變為癌細胞。然而，飲食時並不能單獨攝取鉀，必須從食物中攝取。特別心臟病、腎臟病及癌症病人特別不可以碰鹽。

應該儘量攝取鉀質的自然型態，也就是自然存在於食物中的型態，避免吃藥丸型態的鉀質，因為它們可能會刺激消化管道，如果攝取過量還可能造成危險。

橘子、香蕉和海藻類是「最可靠」的高鉀質來源！甜瓜類的水果，通常一年四季都有，它們是另一個很棒的鉀質來源。西瓜的含鉀量相當高，食用時要連西瓜皮一起吃喔！像白扁豆、豌豆、青豆、長豆這些豆類不但富含鉀質，蛋白質的含量也相當

高。胡蘿蔔、酪梨、蔬菜，儘可能用蒸或燙的方式來保留蔬菜中的高鉀含量。在家自己做蔬菜湯也很簡單，因為蔬菜汁液完全沒有流失，所以是攝取鉀質的一個很棒的方法。

○ 飲食的量，也會影響營養

　　過去，在貧窮的時代，吃得不夠，營養不良，當然會影響體質。現在，經濟情況良好，倒是吃得太多，而造成營養不平衡，也累垮消化組織，引起所謂的文明病，像高血壓、心臟病、肥胖症、糖尿病等等，使體質受到影響。針對這些情形，要做的飲食習慣改變，原則上，是保持飲食平衡，不吃添加物，不吃腐敗食物，不吃肉類，多吃蔬菜、水果。尤其是五穀雜糧必須恢復到一餐中最重要的「主食」地位，才能免於文明病的威脅。

　　飲食是每個人切身有關的事。飲食能決定你的思想、行為及感受。你是憂鬱或愉快、漂亮或醜陋、心理和身體上的年輕與衰老等都與您的飲食習慣有關係。中醫說，吃啥補啥；但我發現了另一個規律：吃啥像啥！小心，你吃的東西！

087

五穀蔬果應大量，
魚肉蛋奶宜少取。

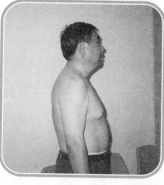

王臣　54 歲　（中國大陸）

◎腎臟及心肺功能都加強了

1998 年自己在遼寧省腫瘤醫院大腸科查出彌漫性結腸炎，降結腸息肉 1.5cm，橫結腸息肉 1.5cm，經尿療病情得到控制。

今年（2002 年）6 月 1 日前在沒有用林教授的保健排毒餐之前，體重 96kg，腰圍 3 尺 05 寸。大便每日能排，量小，較粘。7 月 3 日，經過一個月的保健排毒餐，體重下降到 91.5kg，腰圍 2.75 尺。

腎臟得到了好轉。原來每天晚間雙腿脛骨前浮腫，從踝關節到膝關節之間比較嚴重，但從 6 月 20 日以後浮腫現象消失。

心臟與肺的功能加強了，原來每天上七樓回家都要在五樓休息一段，氣喘得厲害，心跳加速，現在可以抱著小孫女一口氣上到七樓，心跳沒有以前那麼厲害。

在吃排毒餐後，晚間躺在床上腸的蠕動自己非常清楚的感覺到，第二天早晨排便非常痛快，量比以前大了 4～5 倍。

排毒餐經過一個月的實踐，取得了一定的效果，我還要堅持下去。

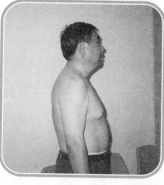

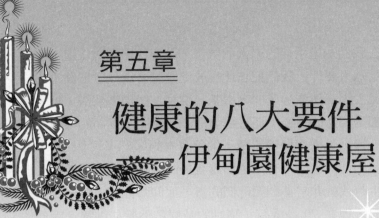

第五章

健康的八大要件
——伊甸園健康屋

「耶和華上帝在東方的伊甸園立了一個園子，把造的人
安置在那裡。」

（創世記第 2 章第 8 節和合本）

　　現在我們知道生存的五大危機了，就要找出解決之道，也就是健康的八大要件，我們把它比喻成健康屋，為什麼把健康比喻成房子呢！因為建造房子要有根基、樑柱、屋頂來架構，每一個部分，都是相當的重要；而且建造房子要時間，逐漸的累積，就像健康一樣，是需要慢慢累積，儲蓄資本的。

　　在我的信仰裡面，有兩位影響我最深，雖然我沒有看過，但在我學生時代就非常喜歡讀他們的書，並仰慕他們。第一是，王明道弟兄，他在 70 多歲時，講話的時候依然聲如洪鐘。因為他非常要求個人的自律生活，也做了很好的榜樣。另一位就是宋尚節，我在讀完宋尚節傳記的時候，就有一個強烈的禱告說：「主呀，如果我們要興起更多像宋尚節一樣的弟兄，求求您，讓他有如王明道弟兄的身體。」

　　首先先從這棟房子的屋頂看起，一棟房子的屋頂一被建造，這房子立即就能遮陽避雨，所以我們把它比喻是人類的飲食，特別強調是均衡的飲食。也就是我們吃進去的東西。因此如果飲食有誤，就是生病的開始，無異是人類用牙齒在挖掘墳墓。如果我們趕緊杜絕食錯誤的食物，必能挽回你的健康。

　　接下來是房子的兩大柱子，一個是運動，運動幫助我們消化所進的食物，更能紓解壓力和提升免疫力。每周應至少要有 3 次，每次至少 15 分鐘，讓心跳加速的運動。如不能運動，建議吐納也是對身體相當有幫助的。注意要在空氣新鮮的地方，如果能一大早面對朝陽的話更好。第二根支柱，就是情緒。我們的情緒與我們的身體息息相關。情緒的問題，不單只在情緒上產生煩躁、憂慮及不安等徵狀，而且人往往因為情緒問題而引發起身體的各種不適，例如：頭痛、失眠或疲倦等。

　　睡眠則是根基，因為你可能可以 40 天禁食禱告，卻不能 5 天不睡覺，如果睡眠不足或不對，根本補不回來，因此它是不可

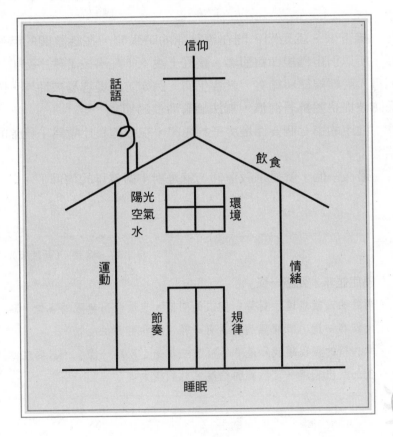

取代的。很多人不會睡覺，所以越睡越累。最重要的兩個時辰，一個是午時（中午 11 時至 13 時），一個是子時（夜晚 23 時至凌晨 1 時）。所以如果經常熬夜，以後容易得肝方面的疾病。

窗戶則引申為環境，空氣透過窗戶流通，陽光透過窗戶照射進來，露水也是透過窗戶進入。這就是我們所說的陽光、空氣、水。

接下來，就是門，門在應該開的時候開，在應該關的時候關，所以引申為規律與節奏。聖經上說：「凡事按著秩序行」。因為人脫離規律與節奏，就會生病。例如防波堤容易被沖垮，因為防波堤是對抗著海浪，無法順著海浪的節奏。

健康的第七個要件是房子的煙囪，在這裡我比喻為「祝福的話語」。

最後一個，就是宗教信仰，就是對「對真神的信仰」。

卓永福　33 歲　（新加坡）

◎ 癌症並非「死路一條」

‧ 幽默的演說表達了對每一個人的關懷，也散發出無限的喜悅。讓大家都知道，有病無病都要有一顆快樂和健康的心情。

‧ 林教授的課程讓我知道有了癌症並非是「死路一條」，只要在飲食上做出調理一定能戰勝病魔，林教授太棒了。

一、適當的運動

「耶和華上帝將那人安置在伊甸園，使他修理看守。」

（創世記第 2 章第 15 節和合本）

健康屋中「飲食」至為關鍵而多元，特留待最後詳細探討，我們先來談房子的兩大柱子，一個是運動。

「運動不足」，在醫學界上的檢查未必可以看到異常的症狀，但常會有頭痛、肩膀酸痛、腰痛、肥胖等特徵。這些症狀持續進行的話就會造成胃潰瘍、高血壓、動脈硬化、心臟病等疾病的發生。

據世界衛生組織估計，缺乏運動，導致全世界每年超過 200 萬人的死亡。WHO 在危險因子方面的研究顯示，不動或久坐的生活型態是全球死亡和行動不便的十大原因之一。而橫跨全世界，有 60～85 ％的成人活動量還不足以對健康有益。

台灣的問題也不輕。衛生署去年的調查就發現，30 歲以上的人，超過 6 成並沒有規律運動的習慣，這其中還有約 2 成的人是既胖又不動的「麵龜族」。

缺乏運動、久坐式的生活方式增加所有的死因，而且罹患心血管疾病、糖尿病、肥胖的風險倍增，也大幅增加直腸癌、高血壓、骨質疏鬆症、憂鬱和焦慮的機會。

運動可以改善生活的品質，減少老化引起的一些變化，改善骨質疏鬆，預防慢性疾病，因此**經常運動的婦女可以比同年齡的人，生理上年輕 20 到 30 歲**。而承受重量的運動對減少骨質疏鬆特別有效。醫學界建議一天 30 分鐘，一週 3 次的運動是必須的。

運動也可以降低心血管疾病的發生。運動可以增加好的膽固

醇HDL。另外運動可以增加營養供給心臟的冠狀動脈的小分支，預防心臟病。一項瑞典的大規模實驗，有 1,500 人參與，年紀從 38 到 60 歲，此實驗發現一天 30 分鐘，一週 3 次的運動，還可以降低心血管疾病的發生。

其實，只要生活稍做改變，這些如土石流般威脅全世界健康的問題就可獲得緩解。運動是改變體質最根本的辦法。因為，每個人的身體，本來就具有抵禦外侵的毒物、或癌症的能力。只是，身體的內在環境和身體外的大環境，都有過多有害的因素，使身體的這種免疫能力發生障礙，疾病和癌症才不可避免地發生。而運動，則可使身體內在環境的細胞，藉著促進血液循環，以帶動氧氣和營養；反過來，又使細胞增加活力。因此，人體的免疫力，便能增加。

○ 不好的體適能現況在生理上的影響

1980 年代以後，體適能（Physical Fitness）的重點逐漸移向健康體適能（Healthy-Related Physical Fitness）主要原因在於現代科技導致許多運動不足的症狀（Hypokinetic Diseases），像肥胖、下背痛、心血管疾病和高血壓等，這些症狀不但造成各國醫療費用的龐大支出，而且影響個人的工作（學習）效率、身心狀況和生活品質。

如美國故總統甘迺迪說：「體適能是所有活動的基礎」，失去體能與健康，可能就會失去一切。經常過著靜態生活方式的現代人，最容易失去體適能而導致個人潛能無法開發，甚至失去其對國家、社會的貢獻才華與能力。

美國心臟協會（America Heart Association；AHA）於 1992 年與世界衛生組織（World Health Organization；WHO）於 1995 年，均將缺乏運動或運動不足列為心血管疾病之主要危險因素。

好幾個研究指出不健康及過重的兒童顯現冠狀動脈疾病包括高血壓及不利的血脂之徵兆。大部分慣坐的個體，其死亡的危險大約是大部分活動的個體的 2 倍。低適能個體的相對危險是高適能個體的 7～8 倍。

◎ 身體活動在體適能及生理上之益處

發表於 2000 年五月份的"Journal of Sports Medicine and Physical Fitness" 醫學期刊的一篇文章指出，每週運動 3 次，每次 30 分鐘以上的長期運動，就能夠減慢歲月對於心臟老化的壓力，也就是說，保持這種頻繁的運動習慣者，心血管系統老化的速度就會變慢，整體的健康情況會為之改善。

運動科學研究報告顯示持續身體活動習慣的學童比不運動的學童健康，如慢性血管疾病、肥胖症、糖尿病與感冒等疾病於成人期時的發生率也相對降低。

規律的身體活動降低心血管疾病死亡及罹病率的危險。經由規律的有氧活動可能獲得以下的生理益處：心臟幫浦的功能變得較強壯、降低安靜心跳率、降低安靜血壓、循環系統變得較有效率、增加血液總量、增加紅血球大小及數量、增加氧傳送的功能、降低不被凝結的能力。

健康體能活動的介入，在體脂肪百分比、腰臀圍比、腹肌耐力、心肺循環適能等均有明顯的改善。童年時期發展適當的運動習慣並持續到成年期，對於冠狀動脈疾病的危險因子可獲得較好的控制。

◎ 適當的運動，提高睡眠效率

對許多現代人而言，想要有好的睡眠品質，是一件不容易的事。而晚上睡覺要睡得好，增加睡眠效率，最廉價的方法之一是

095

有規律的運動。

一般而言，運動會使得累積的緊張情緒或精神壓力得以舒緩，使睡眠時腦波的徐慢波增加，增添熟睡期及深睡期的時間，腦內的激素分泌協調增加，且腦內神經化學傳遞物質增強修補與協調。

但是，必須是有規律的運動，否則未必有助於夜晚的睡眠品質。就幫助睡眠而言的運動最理想的時間是，下午過後或是夜晚來臨之前。切勿從事活動強度大的運動。運動對睡眠的改善並不是立即的，也許要在一週或兩週後才會顯著。

◎ 有益心血管健康的運動

建立以運動促進健康的生活習慣是極重要的教育工作，而養成規律運動習慣是擁有健康的重要途徑，運動的功能為強化人體內部組織的有效方法。

競走

醫學上給運動的定義是，每個禮拜至少有三次，每次至少超過 15 分鐘，讓心跳加速的運動。怎麼樣的運動是對我們身體有幫助的呢？35 歲以後最好的運動是赤腳競走，特別是 40 歲以上的人，不建議做慢跑。如果可能，每天 10,000 步的競走，最好是赤腳競走，每天在黃土地、草皮上、木頭上或是石頭上走 15 分鐘，對身體健康更有幫助。

競走是最安全溫和的有氧運動，但是在現代的社會裡，忙碌的人總覺得很難撥出時間競走。其實，競走的機會無所不在，只看您如何運用了。首先應該從自己的日常生活著手，如果上班地點不遠，即可選擇步行，不僅可免塞車之苦，時間也較易自由掌握，另一種方法是，個人活動儘量以競走為交通工具，例如買

菜、去郵局、看朋友，都可達到競走效果。

開始要做競走運動的人，必須立下確定的計劃。為使效果提高，至少每週三次，每次 45 到 60 分鐘。競走速度不必太快，時速 3-5 公里是較恰當的競走速度，最重要的是，視個人情況而定，千萬不要走太累，超過體力負荷程度。

競走的益處有消除緊張、享受快樂、預防疾病、享受健康、防止老化、享受青春。競走時間比速度重要，主要是必須長期有規律的持續做。

爬樓梯

爬樓梯，是都市生活不可避免的運動之一，也是最簡單、方便又不受天候或同伴影響的運動方式。根據行政院衛生署的資料顯示，爬樓梯每小時每公斤可消耗 5.6 至 6 大卡，其消耗的熱量是散步的 2.2 倍，是打保齡球的 1.6 倍，是騎自行車、打棒球、高爾夫球的 1.5 倍，是有氧舞蹈的 1.1 倍，由以上的數據可以發現，爬樓梯是一項不用花錢的健康運動。

當然，還有可以選擇的各種運動，如疾走、騎單車、游泳、柔軟或美容體操、回力球或桌球、網球、高爾夫、釣魚，皆可達建議的運動量。如實在不能運動，建議吐納法也是對身體相當有幫助的。

學習腹式呼吸法

「吐納法」是對身體有大能量的運動，我們來學習如何吐納，首先吸氣時，用鼻子吸氣，嘴巴閉氣，將腹部充氣而不用肺部，直到整個腹部為止。接下來吐氣，徐徐的以嘴部吐氣，而不是從鼻子吐氣。反覆幾次，會感覺神清氣爽。注意一定要在空氣新鮮的地方，如果能一大早面對朝陽的話更好。

當然，我們在運動的同時，也必須注意到良好且適當的環境。我們都知道，良好而新鮮的空氣，對健康非常有幫助。我就常看到，有些人早上沿著馬路慢跑，結果反而吸入更多廢氣。所以在錯誤的環境運動，身體一定不好。

這幾年，運動風興起，各式各樣的健身房林立，有許多人為了避免吸入不潔的污氣，而索性到健身房去運動了。特別是強調各種健身功能的俱樂部，許多人簡直是趨之若鶩。此時，我們便要探討在這樣的環境會對身體造成的傷害。

各位有機會可以從身邊的朋友做個調查，經常在健身房運動的人，身體不一定好。那是因為全部是空調的密閉空間運動，空調的密閉就是所謂的冷氣房。在冷氣房裡運動後一流汗，毛細孔就會打開，此時因為在冷氣房，馬上就吹到冷氣寒風，直接灌進身體，結果受損的就是肺部。

肝毒、腎毒、大腸毒都可透過排便將毒排出，但是肺毒就只能利用排汗的機會排出。但是我們卻把排汗排毒的機會給斷絕了，還高興不流汗，衣服就可以多穿幾次呢！不要以為不流汗，沒什麼大問題，其實，經常在冷氣房這樣的環境，對健康其實只有百害而無益的，早晚身體會出大問題。請記住，**流汗不只是健康，更是福氣！**因此我們在選擇運動場所時，最好是戶外空氣新鮮，而且陽光充足，並且應儘量避免吸入不潔的污氣。那麼我們在運動時，該如何呼吸呢？吸氣時，嘴巴閉氣，腹部充氣，不能用肺部；吐氣時，不從鼻子吐氣，而是以嘴部吐氣。這樣的呼吸法，不僅在運動時使用，在平時更可利用這樣的方式吐納。特別是有氣喘、恐懼、焦慮、口急病症的患者。

你的細胞看起來很累，趕快去運動、走路，癌細胞會回歸正常。在實驗室養癌細胞，如果加氧，癌細胞就養不好，如果加二氧化碳，癌細胞就養得很好。這表示，我們自己把體內環境做到

缺氧，細胞才無可奈何變成癌細胞來適應環境，如果把環境裡的缺氧因素刪掉，補充氧分，其實癌細胞是會回歸正常的。

賴惠卿　46歲　（新加坡）

◎ 了解到「癌症不是絕症」

◆ 認識到癌細胞是在怎樣的情況下生長，了解到癌症不是絕症，體會到預防重於治療。

◆ 希望有機會能再聽林教授妙語如珠、幽默風趣的演講，謝謝林教授、比利和義工們的幫忙，感激不盡。

P.S. 我要訂購林教授的書籍與 VCD（或卡帶）

馬蓮鳳　59歲　（中國大陸）

◎ 乳癌、糖尿病都痊癒了

　　90年做乳癌手術，91年患糖尿病。

　　自2002年6月28日接受林教授食療，認真改變膳食習慣，完全、嚴格按排毒餐吃。起初一週有明顯的好轉反應，體虛乏力。一週後明顯好轉，體力充沛，睡眠效果大好，體重一個月減8斤（原124斤，現116斤）。原來胃腸不規律，或2～3天排一次，或一天數次，現排便每天一次，而且形狀好。

二、良好的情緒

「上帝看著是好的。」

（創世記第 1 章第 10,12,18,21,25 節和合本）

「上帝看著一切所造的都甚好。」

（創世記第 1 章第 31 節和合本）

「第二根支柱，就是情緒。」

（現代中文譯本修訂版）

　　1999 年救國團「張老師」針對全省北、中、南、東 14 個縣市 7,083 份有效問卷調查發現，有 57.3%的現代人認為自己生活中有一點壓力，27.7%有相當程度的壓力，另有 1.08%則表示目前承受著相當大的生活壓力。由以上調查可見，有高達 96%的現代人處於相當的生活壓力之下。

　　現在一切都在變動中，都不確定，新的價值觀還沒建立，舊的已被摧毀。在這種狀況下，讓很多原本以為「努力就有希望」的人生觀整個破滅，人們不曉得明天會發生什麼事，付出愈多，可能摔得愈重。不少人因此惶惶不可終日，甚至罹患了憂鬱症等疾病。

　　文明越進步，各種與身心有關的疾病似乎相對的也越多，尤其是進入 21 世紀的現代，各個醫院的精神科門診幾乎都是天天客滿，平均統計，各大醫院的精神科門診人數，每個月都要增加 12%到 15%。可見得現代人承受壓力之大。

　　在台灣的《康健雜誌》公布的一項調查結果，國民所得超過 12,000 美元的台灣人，近七成的民眾不想活到 100 歲，大多數的人只希望自己可以活到 70 歲。有 1/3 的民眾對未來感到不確定、

不樂觀。在威脅老年生活部分，兩岸關係不穩定排名第一。同時有 4 成的受訪者因社會暴戾急躁不安的氣氛備受威脅。如此心情，如何快樂？

德國醫師 Dr.Hamer 是一位很有威望的癌症專科醫師，他的兒子在義大利被暗殺之後，他與他的太太因陷入極度悲痛，而雙雙得了癌症。

但是，由於 Dr.Hamer 是位癌症專科醫師，了解情緒的過大變化對身體的影響很大，所以他決定很快調整自己的情緒，接受兒子已死的事實，不多時他的癌症竟然不藥而癒，但是他的太太仍然無法調適，不久就因癌症而離開人世了。於是 Dr.Hamer 便開始著手研究「癌症與情緒」的關聯性。他研究 10,000 個病人，發現這些癌症病患得癌症的原因中，情緒是很大的關鍵。也就是說飲食是形成癌症的遠因，而情緒則是觸發點。

例如，經常有話不說，獨自一個人承擔的人，容易得到肺癌。此外，血型 A 型的人得癌症的比例也特別高，因為 A 型的人修養較好，將很多情緒都藏在心裡。O 型的人則得肝病比例較高，因為脾氣暴躁的緣故。

日常生活中一些瑣碎的問題如夫妻吵架、交通擠塞、姻親誤會、工作壓力、同事衝突等，都足以形成精神壓力。其實精神壓力是一種保護機能，適量的壓力使我們提高警覺，增加學習和工作效率。但過度強烈或持久性的精神壓力，會令心跳加速、呼吸加快、血壓上升、肌肉收緊，因而導致失眠、頸梗肩酸、胃痛、頭痛、情緒低落和焦躁等。長期處於緊張焦慮情況下，更可誘發冠心病、胃潰瘍及高血壓等。

現實生活中，A 型血型的人與 O 型血型的人結婚，你會發現一個有趣的現象。如果他們兩人吵架，O 型的人會很快的把情緒發洩出來，然後過了幾分鐘後，當他氣消了也忘了剛剛的爭吵

時，他可能會問 A 型的人說：「咦，你是為什麼事不高興呀？」哈！哈！這樣你們就明白為什麼 A 型的人容易得癌症，而 O 型的人則容易得肝病的原因了吧！

此外，而經常壓抑情緒的人，較容易得到乳癌。右邊乳癌多半是人際關係緊張，而左邊的乳癌則是導因於與子女的緊張關係。也就是說我們的父母親或是子女的乳癌在左邊，那麼我們就要檢討是不是我們的關係緊張所造成的。

其中骨癌大部分則是發生在沒有自信心，對人生絕望的人身上。中醫上說得好，易怒傷肝，大喜傷心，憂思傷脾，悲傷傷肺，驚恐傷腎，所以儘量不要讓我們的情緒大起大落。

人類不可能切除腎上腺，因為腎上腺對人體的功能非常重要，而且皮質腎上腺類固醇也控制許多器官的功能。

很多人一聽到醫師宣布自己得了重病時，往往都會顯現出一副無辜的模樣，希望用切、割、毒、殺等外來方式去除疾病，然而，疾病真的會沒來由地產生嗎？世上絕對沒有這種「好好的就突然生病的事情」。

其實，身體發生了疾病，並不是細胞叛逆，違反了主人的命令，而是主人無知，拚命對細胞加壓，卻不知道早已超過細胞能夠容忍的限度，於是，細胞只好應變。生病，不過是受不了委屈的細胞在喊救命的聲音而已。

如果把觀念改一改，承認生病該由自己負責，對自己的行為心生慚愧，而努力自我反省，並感恩不盡地以滿心歡喜的心情去看待自己的改變，儘量善待自己的細胞，努力不讓它們受到委屈。如有需要，再配合適當的醫藥治療，那麼，即使是病況已經相當嚴重，仍然有很大的痊癒空間。而且，不只癌症，得任何病即使治好了，不表示已經完全痊癒。若不善加調整觀念情緒及生活與飲食習慣，也都可能再得病。

○ 開懷大笑

笑可以減少壓力荷爾蒙。美國洛馬林達大學研究，指出笑使干擾素明顯增加，刺激免疫功能，免疫細胞因此變得更活躍。如果自認缺乏幽默感，可以多看喜劇片、好笑的漫畫，緊張時想想其中的情節，學習樂觀的面對眼前的狀況。

○ 相信自己

運用我們的信心，必須能看見一個清楚的目標。如果凡事從正面思考，事事會變得非常美好；反之，凡事都從負面思考，事事都變得相當糟糕。

樂觀的態度讓免疫系統維持最佳戰況，在面對壓力大的情形時特別重要。美國加州大學對法律系學生的研究，發現樂觀的學生，體內擴大免疫反應的T細胞，比悲觀的學生多，負責消滅病毒的 T 細胞也較活潑。凡事要量力而為，認識自己的長處和短處，不要勉強自己做一些超乎本身能力的工作。處理工作時，應將工作的重要次序排好，按部就班。

○ 良好的生活習慣

保持良好及健康的生活方式，均衡飲食、作息定時、適量運動，都有助身心；切勿藉助煙、酒或毒品來逃避現實。多參與有益身心的活動，不但可以擴展自己的生活圈子，而且有助鬆弛身心；亦可培養嗜好，如養魚、種花、唱歌、下棋和聽音樂等。沈思一會和沖一個熱水浴都有助舒緩緊張的生活節奏，對減輕壓力有莫大裨益。

2000 年 11 月 8 日的《美國醫學會期刊》報導，一個研究小組報導，青少年如果吸煙吸得太凶，會增加罹患焦憂症的風險。

103

這類青少年比一般孩子患有恐慌症的機率高了 15 倍，和高出 6 倍的廣義的焦憂症罹患率。

研究人員發現，一天的吸煙量在一包以上的青少年，比少抽煙或不抽煙的同齡者，到成年初期罹患廣場恐懼症的機率高出了將近 7 倍。廣場恐懼症，是一種對不易得到救助或難以逃離的廣場或公共空間所產生的恐懼。

◎ 放鬆心情

長期不能放鬆的人，容易干擾家庭生活的親密關係，因為壞情緒最容易在家人面前發作。具追蹤觀察，夫妻失和，親子間的緊張關係，都與心情不能放鬆有關。不能放鬆的人，想法比較悲觀，凡是放不下心，稍不如意就會煩心鬱卒，嚴重的還會影響健康。

放鬆看起來很容易，其實卻是最困難的，因為放鬆要從心做起。心真的放鬆，身體的細胞才能放鬆。而心要放鬆，必須放下很多現世間的價值觀，包括名、利、情……等。你可嘗試從清理抽屜開始，久已不用的東西，馬上送走、放開，衣服物品也是，甚至延伸至人際關係，於是人變得活得很簡單、很樸素，人就輕鬆了。

◎ 正常的人際關係

人不能單獨生活，需要家人、朋友互相扶持及鼓勵。任何人都會有情緒波動的時候，但要記著亂發脾氣只會令事情越弄越糟，令彼此關係更趨惡化；所以遇有問題，嘗試向伴侶傾訴，或是與摯友討論，均有助解決問題。

那麼，自己對細胞下達的命令，去除不利於細胞的命令，例如生氣、煩惱、消極、極端……，細胞無外顧之憂，才較容易應

付內患，對癌的免疫能力，才容易增加，才是根本解決癌症的辦法。自我反省乃至身體力行，只要堅持，這些事並沒有想像的那麼困難，而且，如果繼續堅持下去，所有疾病，甚至癌症，都會自動讓步，讓健康的細胞抬頭。

周玉彬　32歲　（新加坡）

◎ 健康從平時做起

◆ 聽了才知道健康是從平時的日常生活開始注意，從中也了解到癌症並不可怕，而是生活中飲食太隨便才可怕。

◆ 有史以來從未聽過最寶貴的人生課題，感謝林教授、比利和所有工作人員的用心。

吳華珍　25歲　（新加坡）

◎ 人生中最寶貴的課

◆ 非常謝謝林教授，這次講座是我人生中上過最寶貴的課，讓我能了解預防癌症的正確方法。

◆ 我也要謝謝比利和義工小組。

加油！

三、充足的睡眠

「耶和華上帝使他沈睡，他就睡了」

（創世記第 2 章第 21 節上和合本）。

「在第七天，上帝因完成了祂創造的工作就歇了工。祂賜福
給第七天，聖化那一天為特別的日子；因為祂在那一天完成
了創造，歇工休息。」

（創世記第 1 章第 2-3 節）。

　　人類以外的動物，我們只會見牠們除了吃和食之外，其他時
間用作休息、睡覺，其實牠們是透過睡眠來保存能量。睡眠是所
有動物，包括人類延續生命的方法之一。

　　2001 年，亞洲睡眠協會（Asian Sleep Research Society）發表
「2000 年睡眠調查」指出，睡眠問題在亞洲普遍嚴重，台灣中年
男女約有 78%，年齡在 45 歲至 54 歲之間，受困於職場壓力，可
見亞洲人睡眠品質堪慮。統計顯示，約有 80%患有嚴重睡眠問題
的亞洲人從未主動與醫師討論，而有超過 2/3 的人自稱患有嚴重
或中度睡眠問題的受訪者表示**醫師從未詢問過相關問題**。

　　雖然半數以上的亞洲人承認患有睡眠問題，但多數都認為理
所當然，也未積極尋求醫師的協助。雖然亞洲人了解睡眠不良所
導致的問題，但多數傾向於忽視它的嚴重性，更懼怕處方藥可能
帶來的上癮副作用。

　　在台灣地區，根據今年 3 月的統計，約有 2 成的民眾，長期
失眠；而因為睡眠障礙門診的，則大約有 250 萬人，我相信可能
還有一倍的人沒有上門診，所以台灣地區，2,300 萬中大約有 500
萬人，因為睡眠障礙而失眠。

第 5 章

　　睡眠是生命的根基，是這棟健康屋中最基礎的建築。睡眠是所有健康要素唯一不可取代的。因為你可以 40 天禁食禱告，卻不能 5 天不睡覺。如果睡眠不夠，根本補不回來，因此它不可取代。我發現很多人不會睡覺，所以會越睡越累，結果不管睡了多久，一早醒來是「消除」體力、「恢復」疲勞。

　　在中醫則認為，人體經絡運行是有時間順序的，因此古代養生家制定了「十二時辰養生法」。從中醫的觀點來看，晚上 9 點後應該呈現休息狀態，讓三焦經去發揮作用，11 時前就應就寢。因為晚上 11 點以後，經絡中的氣血循行到膽經，1 點循行到肝經，而肝膽又互為表裡，因此人在這 4 個小時能充分睡眠，才不會勞傷肝膽，造成疾病。

　　皇帝內經，就提到長壽必須做到起居有常，飲食有節，不妄作勞，其中起居作息，要有一定的規律。「起居無節」、「以酒為漿，以妄為常，醉以入房」的人就會「半百而衰」，折損壽命。因此，我們知道只要遵循自然的法則，那麼我們的身體就可以透過休息，得到很好的復原。如此這般，我們在工作的時候會十分有精神，在休息得到全然的恢復。

◎ 睡眠不足影響免疫功能

　　美國史丹佛大學做過一個實驗：他們以外接電罐刺激大腦的方式，將一隻老鼠維持在不需睡眠狀態，幾天後老鼠開始焦躁不安，體重下降；接著身體多部分出現黴菌及細菌感染，而在 14 天後死亡。

　　對於老鼠死亡的最終原因，他們雖然沒有達成共識，但是一般相信，主因是牠的睡眠被剝奪；也就是失眠造成老鼠的免疫系統失衡，而進一步造成死亡。

　　在臨床上也可以發現，人類短期的失眠或睡眠品質不良，輕

者造成人格特質的改變，工作學習能力的降低；嚴重的可能併發情緒精神方面的疾病，如憂鬱症。而長期的睡眠不足更可能導致免疫系統的問題，而併發感染或癌症。然而，幾乎我所認識的癌症病人，只要睡眠品質一改變，病情好轉的速度也跟著加快。

◎ 睡眠不足傷肝

我發現為什麼大部分人肝不好，習慣經常熬夜晚睡是一個很重要的原因。一天中的睡眠最重要的兩個時辰，一個是午時就是上午的 11 點到下午 1 點，及子時就是晚上 11 點到凌晨 1 點。這4 小時也是骨髓在造血的時間。只要你把握這四小時的時間好好休息，整個人就會像充了電一樣；如果你沒有在這個黃金時段睡眠，而熬夜的話，以後很可能百病齊發。

肝臟有 3,000 多個功能，最主要是負責新陳代謝和解毒，但是一般人卻不太愛惜肝臟。熬夜、吃油炸食物或大量醃漬食物、抽煙、喝酒、亂吃藥或偏方，這些舉動都是對肝臟傷害甚大的錯誤做法。

肝臟受到破壞之後，肝臟會自動地長出新細胞，取代受損的部位。可是當自動長出新細胞的過程反應太快時，就會導致肝臟硬化，一旦硬化，就會影響肝臟的新陳代謝功能，更會讓肝臟無法順利解毒。所以肝硬化的病人，身體會瘦下來，下半身呈現水腫，進一步惡化之後，還會出現肝腦病變、意識不清的後遺症。肝臟這種硬化的過程，在醫學上叫做「纖維化」，恢復正常的速度非常的緩慢，所以肝硬化就變成相當棘手的症狀。朋友們，還是早睡早起吧！

◎ 睡眠不足傷心

台北醫學大學附設醫院急診醫學科主任蔡卓城在 2002 年 3

月 20 日指出，過去心肌梗塞的患者大多是五、六十歲年紀較大的人，但最近連續接獲幾個年輕患者都在 20 幾歲到 40 歲左右，最年輕的一個只有 22 歲。**他們之前都沒有任何疾病史，唯一的共通點只有熬夜。**近一個月以來都因學業或工作而連續熬夜。

有不少心律不整或血壓難以控制的患者，其根本的原因在於睡眠中出現缺氧現象，如果患者本身渾然不知，而醫師在診斷治療上又忽略這個環節，治其標而未治其本，問題始終無法解決。

另外，有一名 33 歲的工程師，近幾個月因趕報告及工作而常熬夜，因此對半年來偶爾出現的頭痛症狀不以為意，認為是睡眠不足等引起，自己買買止痛藥吃吃就算了；結果送到醫院時已經腦中風、流口水且沒有意識，經過急救、檢查，患者顱內出血，血壓高達 200 多，乃因高血壓引起的腦中風。

◎ 其他病症

據研究顯示，患有失眠症或經常熬夜的人出現潰瘍的風險較高。英國的研究人員已經發現了一種名為 TFF2 的蛋白質，這種蛋白質有助於胃壁的修復，且大多是在夜間（也就是我們睡覺時）進行上述的動作。

2001 年研究人員在美國糖尿病學會年度會議上指出，長期睡眠不足的人（每晚睡不到 6.5 小時），可能對胰島素較不敏感，因此，隨著時間的流逝，他們罹患肥胖症、高血壓與糖尿病的機率就會大增。因此長期缺乏睡眠所帶來的問題可不只是隔天的打盹而已，它的後遺症不可小覷！

2000 年丹麥哥本哈根「癌症流行病學中心」的 Johnni Hansen 博士一項針對 7,035 位 30 歲到 54 歲患有乳癌婦女所作的研究，得知在夜晚工作的婦女，像是護士或空服員，得到乳癌的機會可能要比在日間工作的婦女來得高。

○ 怎樣才算睡眠足夠

睡眠品質不良的人，會出現下列現象：早上起床時會頭暈，常感覺心悸、緊張、焦慮，白天嗜睡、早上到中午猛打哈欠。嚴重者更會出現，反應遲鈍、記憶力衰退、注意力不集中，青少年功課退步，在職者工作效率下降，大部分的人會以為年齡因素使然，而忽略對睡眠品質的改善。

人們普遍以為，一天睡八小時最為適當，如果睡不夠八小時，便為睡眠不足。其實這說法是沒有根據的，因為睡得足不足夠是因人而異的。基本上，每一個人的體質、年齡、身處環境都有差異。即使晚上睡不足，但自己身體健康、日間工作正常，便不用強也逼自己睡夠八小時，因為這樣是自尋煩惱，可能會引致失眠呢！

○ 睡眠的好處

1. 消除疲勞

當我們工作了一段時間之後，便會覺得疲倦無力；但我們小睡片刻，身體各種機能可以藉著睡眠來獲取充分休息和平復疲累。

2. 儲存活動的能量

當我們晚上睡得好的話，第二天起來往往覺得精神十足，很有朝氣，白天的工作效率便會大增。我們從食物中攝取營養素，便是靠睡眠的時候轉化成身體所需的能量，所以睡得好，能量自然儲存得好，若果睡不好，次日的活力自然大打折扣了。中醫上說：「臥則血歸於肝」就是這個道理。

3. 增強抵抗力

睡眠可提高人體對病菌的抵抗能力，例如病人睡眠充足，也會早點康復；一旦病人睡眠不足，病況通常會因此而惡化。睡眠就好像我們的守護神，守護著我們的健康身體。

○ 如何睡好眠？

1. 固定時間入眠

如果一向沒有固定的睡覺時間，即是說有時候很早就爬上了床，有時候卻又凌晨三、四點不睡的話，身體沒有養成睡眠的習慣，便很容易形成難以入眠的情況。第一步解決方法是需要培養固定的就寢時間，好好安排自己的生活，使每晚大概約 10 時，最慢 11 時入睡，如此一來早上 6 時左右便會自然醒過來。

另外要注意的是，要放心躺在床上，不要因為「為甚麼自己還未睡著？」「究竟甚麼時候才入睡」等問題而憂心、介意，因為有了這一種心態，自然不能夠心平氣和進入睡鄉，要培養定時上床的習慣也更艱辛。早睡早起型的人，睡眠循環一般非常規律，有足夠深沈睡眠的時間，讓身體徹底休息。這是最標準又健康的一種生活型態，

2. 布置睡眠環境

當一個人疲累的時候，在任何地方，如乘坐交通工具時、上課時等，都可以睡著。但問題是，這些睡覺的環境能讓一個人睡得舒服嗎？想製造一個理想的睡眠天地，我們可以從睡覺地方的亮度、溫度、濕度及寢具選擇幾方面入手。

第一是合適的亮度，微弱的亮光，即不會妨礙睡眠。

　　人腦深處隱藏著一種形似豌豆狀的巧妙腺體，它會適時地提醒辛苦一天的您該好好上床休息囉！

　　這種腺體稱為「松果體」，它掌管人體的生理時鐘。松果體在維持人類睡眠機能的正常運作中扮演著重要的角色，它會在適當的時候分泌出一種稱為「褪黑激素」Melatonin的神秘荷爾蒙。褪黑激素分泌多的時候，自然我們就會想睡覺，而褪黑激素分泌少的時候，我們自然就會醒過來。，松果體被喻為人體的「第三隻眼睛」，原因是松果體裡包含了與眼睛相似的色素細胞，對光具有同樣的敏感度，它會根據接收到的光量多少，來決定褪黑激素的分泌量。當我們的眼睛感應不到光線的時候，便會傳達命令到松果體分泌褪黑激素，讓我們進入睡眠。所以如果非要點燈的話，位置最好放置低於床的位置以下，避免眼睛接觸到光線。你可以發現，五星級的大飯店，天花板一定沒有大燈。

　　第二、適當的溫度和濕度，良好的寢具。寢具的選用，必須透氣且軟硬適中的床褥，所有材質一定要天然素材，如棉、麻、絲等，絕不可用化纖材料的寢具。

3. 運用腹式呼吸

　　一般我們呼吸是利用肺，它是淺、短的呼吸。而腹式呼吸則是深、沈的呼吸，例如吐納功。吸氣時，鼻子吸氣嘴巴閉氣，將腹部充滿氣，而肺部則不充氣；吐氣時，則相反，以嘴部吐氣而不從鼻子吐氣，氣一定要吐到盡頭。這樣的呼吸法，不僅在運動時使用，在平時更可利用這樣的方式吐納。特別是有氣喘、恐懼、焦慮、口急病症的患者。，

4. 睡前2小時不飲食

　　飲食和睡眠的關係密切，有時候睡前喝過咖啡，於是眼睜睜

坐到天亮；有時候吃得太飽的話，又會發惡夢；有時候空著肚子睡覺，整晚又會輾轉難眠。應儘量避免有刺激腦神經作用的飲食。<u>最好在睡前 2～3 小時就完全停止一切飲食。</u>

5. 保持愉快的心情

亞洲睡眠協會「2000 年睡眠調查」的發表指出，睡眠問題非常普遍的嚴重，憂鬱症傾向者，卻有 7 成未尋求醫生的協助，原因包括不覺得症狀嚴重（42.92%）、自己可做調適（20.04%），以及不知道如何尋求協助（10.77%）。至於就醫者選擇科別，則大多沒有「找對門路」，以醫院非精神科最多（58.19%），其次才是精神科（22.58%）、心理諮詢（13.95%）、親朋好友（13.27%）等。

所以造成失眠的眾多原因之中，<u>以心理因素最是普遍。只要精神鬆弛下來，自然可以輕易入睡。</u>因為緊張而無法入睡的人，通常都被「我為甚麼總是睡不著？」這念頭所困擾。

失眠人士心中被各種各樣的不安情緒盤踞著，越來越緊張自己今天晚上，究竟是否又要失眠呢？於是，有些人老早認了命，堅信自己必然睡不著；有些人一上床便不斷強逼自己必須入睡，弄得精神非常緊張，如此當然不可能入睡了。

6. 學習裸睡

另外，值得一提的是，根據醫學報導，60 %的婦女疾病如腰痛、經痛，都是因睡覺時穿著過緊的內褲引起，裸睡可以促進全身肌肉伸展，輕鬆無壓力，身體更健康。

美國「裸睡」人口以男性占多數。約為 21%，年齡層是 25 歲至 51 歲最流行。台灣依「男性睡相大調查」，共有 272 位，選擇裸睡的男性朋友竟然是最多的，依票數高低排序為：習慣裸

睡：77 票，占 28.10 %；T-shirt＋內褲：73 票，占 25.86 %；只穿內褲睡：66 票，24.09 %；視情況而定：42 票，占 15.33 %；標準睡衣或睡袍：16 票，占 5.84 %。

　　日本醫生也曾經指出：日本婦女穿內褲睡覺的比率高達90%，其實所有的婦科疾病 60%是穿內衣褲造成；不僅收緊腹肌壓縮腹部神經，還會引起便秘、腹瀉、花粉熱和頭痛。

　　台灣屬於海島型氣候，悶熱的夜晚還滿適合裸睡的，調解一下體表溫度，相信對身體是有益的。而且我們整天 24 小時被衣服裹著，實在有愧對自己的皮膚，且皮膚也需透氣，需要呼吸，偶爾來個裸睡，應該是滿符合自然健康美。成年人到夏天，整晚睡覺大約會流200c.c.至300c.c.的汗，皮膚最易在攝氏 37 度左右，滋生細菌、黴菌，引起皮膚病等。

　　為什麼裸睡有益健康，它有六點好處：一、使血液循環更有效的通暢。二、皮膚更能增加吸收氧氣，增強皮脂腺和汗腺的分泌，使新陳代謝速度加速。三、避免內衣褲成為黴菌和細菌孳生的溫床。四、有利神經化學傳導的調節，增加適應和免疫能力。五、消除疲勞，鬆弛肌肉緊繃。六、身心更加舒暢。

1. 泡能量澡

　　睡前利用自家浴盆，以自己能承受的最高熱度的熱水加上一碗粗鹽，水位則到肚臍為佳（若心臟機能甚好，則水位不超過鼻子都可以），身體浸泡約 10-20 分鐘，會有溫泉浴的效果。若能加入備長炭則更佳，它可釋放大量負離子，有舒緩神經的作用。

四、優質的環境

「有一條河從伊甸流出，灌溉園子。它流到伊甸外面，分成
四條支流。」

（創世記第 2 章第 10 節和合本）

　　健康屋的窗戶我們引申為環境。空氣透過窗戶流通，陽光透
過窗戶照射進來，露水也是透過窗戶進入。

　　這裡所說的優質的環境，就是我們之前所說的陽光、空氣、
水。在國外時，經常有人問我台灣哪裡最美？我都毫不猶豫地回
答：溪頭。為什麼？因為那兒有最充裕的氧、芬多精和負離子，
尤其是負離子。空氣中最寶貴的就是負離子。

◎ 負離子

「耶和華上帝使各樣的樹從地裡長出來，可以悅人的眼目
……。」

（創世記第 2 章第 9 節和合本）

　　痛則不通，通則不痛，氣血不通的人多數都是負離子不足，
正離子太多。幼兒身上的負離子比正離子多四倍，亦即負離子占
80%，正離子占 20%，所以他們的生命力旺盛，而且恢復力也特
強。尤其是較肥胖新陳代謝差的人，負離子更加缺乏。

　　負離子能中和人體過量的正離子，使血液呈弱鹼性。負離子
主要的功能是促進新陳代謝，能激活肌體抗病能力，改善睡眠，
進而消除疲勞。經負離子作用，可使人精神振奮，工作效率提
高，有明顯鎮痛作用，且改善心肌功能。負離子與細菌結合會改

變其分子結構。而正離子則會導致人們精神渙散或產生煩躁不安的情緒。

負離子含量分布表		
空　間	含　量	
森林，瀑布區	50,000	Ion s/c.c.
高山、海邊	5,000	Ion s/c.c.
郊外、田野	700～1,500	Ion s/c.c.
都市公園裡	400～6,00	Ion s/c.c.
街道綠化區	100-200	Ion s/c.c.
都市住宅區	40-50	Ion s/c.c.
冷氣空調密閉空間	0～25	Ion s/c.c.

　　剛進入 21 世紀，人們就迫不及待呼喚－健康的空氣！科學證明，室內空氣比室外空氣汙濁 9 倍，而人的一生 70%-80%的時間待在室內（含車內），不改善室內空氣狀態，人體健康從何而來？

　　在新加坡汽車數比台灣還高，而人口密度不亞於台灣，但空氣卻很好，因此他們在都會種植大量的樹木，建造綠色的公園，因為樹木行光合作用，釋放出大量氧氣，而利於身心。

　　最好能在家中種植盆栽，藉著陽光提供給我們需要的氧氣。選擇的盆栽葉片越大越好，因為葉片越大，所釋放的氧面積也越高，最好不要是藤蔓類的。種植的地點最好靠近窗戶或陽台。

○ 生命之水

　　「被砍下來的樹還有希望，它可能回復生機，長出幼芽嫩
　　枝。縱使根已在地裡衰老，枝幹腐爛在土壤中，一有充足的
　　水分仍然能發芽，好像幼苗長出新枝。」

（約伯記第 14 章第 7 節至第 9 節）

在我們的身體中，水分就占了 70%左右。倘若是嬰兒，更高達 80%。因此我們可以說，不但「女人是水做的」，所有人都是水做的。生命其實是一個水容器！地球上所有生物都是由細胞組成的，而成為生命基礎的細胞，正是浸泡於水中才得以生存，因此，生命體中一定要有水的存在。

水喝對了，血就不容易出問題！所以我常告訴人們，**現在就換水，免得以後換血。**

喝水的原則是，有空就喝，有空就喝「好水」。什麼稱之為好水，提供各位幾個原則，你可以根據以下這些原則去選擇適合自己飲用的好水。

第一，它的 pH 值一定是要弱鹼性，健康人體的體質的 pH 值是 7.35～7.45 之間，那麼如果你攝取了酸性食物，身體一定容易出問題，因為得到癌症的人，體質的體液 pH 值是呈 7.0～7.2。他們多數喜歡攝取酸性食物，如可樂、汽水或是肉。所以酸性體質的人，吃了健康排毒餐後，會有明顯的改變，因為它將飲食從酸性的攝取徹底改變成鹼性的攝取，恢復酸鹼值正常後，自然就健康了。

坊間有些強調鹼性的水，我們還是要注意，最好的酸鹼值是 pH7.4 到 pH7.6 之間，超過 pH8 則有鹼性中毒之虞，那比酸中毒還要麻煩了。

第二，水必須保有原礦物質，因為這些礦物質，不只是對我們身體非常重要，它還可以保持水質維持弱鹼性。所以市售的水，如果太強調它非常乾淨，什麼東西都沒有了，只剩下水，經過檢測，它的 pH 值一定是強酸。

我在國外的臨床發現，所有腎臟不好及癌症體質的人，他們所喝的水幾乎都呈酸性反應。

第三，它必須是無雜質，不能有氯和重金屬，最好是能符合

117

美國 NSF 檢驗的標準。在台灣爲了處理食用水的殺菌問題，使用大量的氯來處理，它對身體其實有非常大的傷害。因此我們建議，在經濟能力許可的情形下，<u>能使用臭氧解毒機來殺菌或消毒最好</u>。比方說，德國醫院的手術刀等無菌重要器材，就是用臭氧來殺菌。國外最好的游泳池，也是用臭氧來殺菌。

選擇最適合的臭氧解毒機也是一大學問。最好的是，選擇每小時可產生臭氧量達 200mg 以上的蔬果解毒機，一方面可解蔬果農藥殘毒，另方面又可大大提高水和食物的含氧量。目前市面上所販售的蔬果解毒機，大概只能產生臭氧量達 80mg～50mg 之間，對食物解毒與能量提升的幫助並不大。

◎ 陽光的能量

「光令人愛慕，能夠享受陽光是多麼愉快！」

（傳道書第 11 章第 7 節）

陽光具有自然的<u>治療效果</u>，因此醫生常會叫住院病人，出去曬太陽。因爲光線透過瞳孔進入視覺神經後，可以刺激下視丘，進而影響情緒賀爾蒙的分泌，適量的光照可以提振精神、改善情緒。清晨日光光度最佳，<u>在日光下赤腳或著草（麻）鞋在草地上</u>或黃土地上走 30 分鐘，不到一個月，病情必可大大改善。

我遇到憂鬱症的病患，會給予三個建議，第一是要有一些很要好的朋友，是<u>不會出賣你的、會聽你講話的，而且他也知道你講的都是廢話，聽完就算了不會傳話的</u>。第二是多聽我演講或牧師講道，第三曬太陽。結果效果眞是好極了！

◎ 大自然的能量

天地之間萬物，有著與我們息息相關的奧妙。這些天地萬

物，蘊藏著無限的能量，帶給我們生存的影響。能量，它是宇宙間一切力量的總名，而存在生物體的能量，其表現方式有許多種。陽光、空氣、水源、季節、氣候、山林，礦石、植物、土壤、月光、溫泉、雨水、顏色、氣壓、節氣、閃電、風、意念……等。如果順應季節而活，我們就能吸收能量，而我們逆著季節而活，我們就會生病。

例如，木頭有許多的能量（遠紅外線）。最健康的人是住在木屋裡，木屋有個特色，當潮濕的時候，它會吸收水分，當乾燥的時候，放出水分，它會自動調節。所以用木炭考蕃薯與用電鍋煮蕃薯，兩種蕃薯吃起來的口感一定不同，因為木炭會釋放遠紅外線。近來流行的岩燒也是，它也會釋放遠紅外線。

建議可常洗洗溫泉，因為溫泉釋放的就是遠紅外線。我們發現，如果用溫泉煮蛋，跟一般煮蛋不同。一般水煮蛋是先熟蛋白再熟蛋黃，而用溫泉煮蛋則是先熟蛋黃再熟蛋白。因為溫泉可以釋放遠紅外線，它是由內而外的釋放。這就是為什麼洗溫泉很舒服了，它具有治療腰酸背痛促進血液循環、改善神經痛的功效。

特別是女性，因為女性體質較冷，更適合泡溫泉。中醫說的三焦是上焦、中焦、下焦，而女性屬於下焦比較陰虛，所以經常做半身浴浸泡，不僅會產生遠紅外線，還會產生負離子，晚上睡前浸泡更有效，促進血液循環，有助於安眠。

如果無法經常洗溫泉，在這裡提供一個方法，經濟、方便又符合聖經的方法。以西結書提到，嬰兒出生要用鹽擦拭身體。但聖經那時候講的鹽，不是現在的精製食鹽，是粗鹽。所以現代許多觀念，早在聖經裡面提到了，我們也可以這麼說，不讀聖經，落後 3,000 年。這個方法就是用鹽放入熱水中，與浸泡溫泉的方式一樣，浸泡 15 到 20 分鐘，浸泡後再用清水沖洗即可。

119

Chong Yam Thai　55歲　（新加坡）

◎防癌講座是很好的福慧活動

◆ 這個防癌講座可獲得很有益的防癌知識。

◆ 這是一個很有福慧的活動，應常舉辦，造福社會，謝謝。

Angelire Cheow Tee Wan　33歲　（新加坡）

◎精彩的防癌講座不容錯過

　　以前從沒有聽過、看過的東西，聽了林教授的精彩演講現在能掌握了基本的了解。加油！

憂慮使人消沈；

良言使人振奮。

～聖經～

五、規律與節奏

「有晚上，有早晨……」

（創世記第 1 章第 5,8,13,19,23 節和合本）

「各從其類。」

（創世記第 1 章第 12,21,24,25 節和合本）

　　接下來，就是門，門是在應該開的時候開，在應該關的時候關，所以引申為規律與節奏。

　　什麼叫規律？什麼叫節奏？就是我們要學習生命的節奏來搖擺，工作之後你會娛樂嗎？勞心之後會從事勞力的活動嗎？飲食之後會禁食嗎？嚴肅之後會表現幽默嗎？性交之後會把性昇華嗎？當你的意識休息的時候，你的潛意識就開始活動，這是生命的節拍！

　　在我開的醫學課程，常開宗明義就探討每一個人應該要活到120 歲，因為這是上帝允許的，申命記第 33 章 7 節記載：「摩西死的時候年 120 歲；眼目沒有昏花，精神沒有衰敗」。

　　在以賽亞書的 65 章 20 節說到，若到長壽村去看，90 幾歲的人還會打球，有如年輕人一般呢！哇！那身體真的是那麼好呀！反觀我們周遭，40 多歲的人，打個球可能就骨折了！身體怎麼差那麼多呢？實在是我們沒有遵循自然的節奏呀！

　　在此，我們可以引用希爾博士，成功法則的第 15 個法則說到：「生命的節奏就是，當你看到海洋的波濤，季節的變化和月亮的圓缺，你就看到了自然的節奏」，「生命中的任何事物絕對不會靜止，運動就是持續不斷而且一定的節奏」。觀察我們的生命是如何的韻律，工作完要娛樂，運動完休息，飲食與禁食，是

這樣交替的節奏。

「你不必希望永遠快樂，因爲果眞如此那麼快樂會變得枯燥乏味。」

◎ 不規律的傷害

勵志大師金克拉（Zig Ziglar）就有一段很有意思的話：「如果你有一匹身價 100 萬美元的賽馬，你會讓牠整晚喝咖啡、喝酒、抽煙，還期望牠明天參賽嗎？……如果是這樣，你幹嘛虐待自己價值數 10 億美元的身體？」

美國女子監獄曾經做過一個統計，女人犯下刑事、暴力案件，62%以上發生在月經來潮期間。由此可知，如果不順從規律的節奏，亦可能造成社會問題，龐大的社會負擔。

台大公共衛生學院職業醫學與工業衛生研究所與台北護理學院護理學系在 1999 年時，針對 920 名學生、老師、半導體員工、護士、空服員進行問卷調查，結果發現，月經天數大於 7 天的婦女中，從事輪三班制工作者，爲不需輪班者的 2.2 倍；而月經週期小於24 天的婦女中，不固定輪班者也爲不需輪班者的 2.53 倍。由此可知，上班時間不固定，月事則不規矩。更甚者由於睡眠品質不佳，導致月經期週期短，經期又長，成爲骨質疏鬆症、乳癌、不孕症的高危險群。

◎ 晚上不睡覺，小心血壓高

美國哈佛大學醫學院最新調查發現，經常輪班，工作六年以上的婦女，罹患心臟病的風險較一般人高出 5 成。

2000 年根據台灣勞委會的調查也發現，從事大夜班、小夜班等輪班工作者，不僅有睡眠不足、壓力大、膽固醇過高、消化道不適等現象，超過 5 成的大夜班工作者也有明顯血壓偏高現象。

許多輪職夜班的工作者，長期未能進入深層睡眠，因而感覺非常疲倦，甚至出現焦慮與憂鬱情緒。生活不規律，要付出何等大的代價啊？

熬夜會使體質變酸

晚上 1:00 以後不睡覺，人體的代謝作用由內分泌燃燒，用內分泌燃燒產生的毒素會很多，會使體質變酸，通常熬夜的人得慢性疾病的機率比抽煙或喝酒的人都來得高。所以每天儘量在 11 點前睡覺，不要熬夜，若非要熬夜不可，一星期以一次為限！而且一定要補充大量的植物綜合酵素來保肝。熬夜時不要吃肉，儘量吃碳水化合物，這樣隔天才不至於很累，可把傷害減至最低。

大自然的節奏

如果你注意的話，防波堤會被沖垮，但海岸線從來不會被沖垮。你們知道為什麼嗎？因為海岸線是隨著波浪而運動，而防波堤則是抵抗著海浪，無法順著海浪的節奏，終於有那麼一天，撐不住就垮了。

我們必須學習生命的節奏來搖擺，而不是站在原地以不動的姿勢對抗。就如同我們會喜歡聽音樂！因為音樂反映了人體內的節奏。

各位有沒有發現，我們的神亦是很有規律的神。保羅在歌林多書裡說「凡事按著秩序行」。為什麼規律及秩序那麼重要呢？因為人只要脫離規律及秩序，人就會生病。我們看看身邊的人甚至是自己，晚上不睡覺，早上不起床，身體一定出問題的。

聖經提醒我們，上帝所安排的一切都是有規律與節奏的。「上主使太陽照耀白晝，使月亮、星星照亮黑夜。祂攪動海洋，使波濤澎湃。祂的名字是耶和華─萬軍統帥。祂應許：只

要自然界的秩序持續，以色列國運就會持續。」（聖經耶利米書第 31 章第 35,36 節）

在耕種的規律與節奏，聖經利未記第 19 章 23～25 節說到「你們到了迦南地，我種各樣結果子的樹木，就要以所結的果子如未受割禮的一樣。三年之久，你們要以這些果子，如未受割禮的，是不可喫的。但第四年所結的果子全要成為聖，用以讚美耶和華。第五年，你們要喫那樹上的果子，好叫樹給你們結果子更多。我是耶和華——你們的神。」

早期在農業時代的人們，日出而作，日落而息。完全遵著上帝訂下了一個很重要的規律而進行。創世記第 2 章第 2 節：「到第七日、神造物的工已經完畢、就在第七日歇了他一切的工、安息了。」就是六天工作，一天休息。不是累了才休息，而是需要規律的休息。就好像在耕耘時，土地是需要輪種、輪耕的。就是經過這樣的程序，足夠的時間，讓土壤的養分可以得到恢復。所以人也是一樣的，必須得到充分的休息才能讓身體更加健康。

自然有一定規律的法則存在。例如，我們說，春生、夏耘、秋收、冬藏。我們從每天十二個時辰談起，每一個時辰對人體的影響及重要性。而十二個不同時辰，對應著中醫醫學中提到的十二經絡，分別都有不同的運作，這就是所謂的「子午流注」。

首先，整個身體自然修補的時間，是在晚上的 9 點到凌晨 3 點。這段時間一定要休息。如不能休息，也一定要停止一切活動。

晚上的 9 點到 11 點的時間，是免疫系統運作的時間。特別是小朋友的免疫系統還不全，因此國小 6 年級以前的小朋友最好在 9 點左右就寢。而晚上 11 點到凌晨 1 點的這段期間是骨髓造血時間。凌晨 1 點到凌晨 3 點，則是肝臟修復的時間。凌晨 3 點到凌晨 5 點是呼吸系統運作的時間。

其中凌晨 4 點是我們脈搏最弱、心跳最慢的時候，所以我們在醫學上有所謂的「危險四點鐘」。臨床研究中，大部分的氣喘、心臟病、中風、心腦血管疾病、高血壓大多數在這個時候發病。所以家裡如有老年人，這個時間就要特別留意，早晨的運動最好在 5 點以後再出門。

接下來 5 點到 7 點則是大腸蠕動最旺盛的期間，是吃早餐的時間。7 點到 9 點，則是胃最為活躍的時間。9 點到 11 點，是脾臟活動的時間。

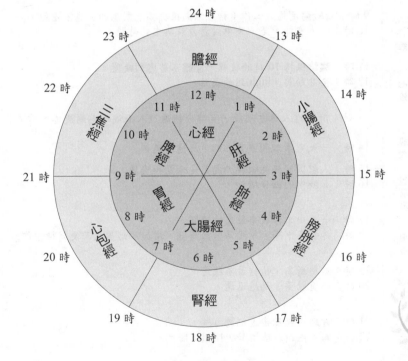

▲ 十二經絡循行簡圖

肝經

1 時：進入易醒的淺眠階段，對疼痛特別敏銳。
2 時：身體內的大部分器官工作節拍極慢，而肝臟則在加緊工作。

肺經

3 時：全身休息，肌肉完全放鬆，血壓降低，脈搏的跳動次數最少。
4 時：血壓進一步降低，腦部供血量最少，重病者易在此時死亡。

大腸經

5 時：此時起床會感到精神飽滿。
6 時：血壓升高，心跳加快。

胃經

7 時：人體的免疫功能特別強。
8 時：肝內的有毒物質全部排出，倘若此時飲酒，肝會重傷。

脾經

9 時：心臟開足馬力工作；神經活動性提高，對痛的反應不靈敏。
10 時：精力充沛，是一天中注意力最集中的時間。

心經

11 時：繼續保持 10 時的狀態，身體不易感到疲倦。
12 時：全身動員，high 到最高點。

小腸經

13 時：肝臟進入休息階段，有部分糖原進入血液，感到疲倦，需要休息。
14 時：一天中第二個興奮低點，反應遲鈍。

膀胱經

15 時：人體器官極為敏銳，尤其是味覺和嗅覺。
16 時：血液中的糖分增加。

腎經

17 時：一天中工作效率最高的時間。
18 時：疼痛感下降，神經活動性降低，增加活動量反而使精神振作。

心包經

19 時：血壓增高，情緒最不穩定。
20 時：體重最重，反應迅速。

三焦經

21 時：神經活動正常，記憶力強。
22 時：血液內白血球增加，體溫下降。

膽經

23 時：人體準備休息。
24 時：全身肌肉鬆弛，各器官活動極慢，漸入夢鄉。

　　到了午時（上午的 11 點到下午 1 點）與子時（晚上 11 點到凌晨 1 點），由於身體在造血，因此我們需要較好的休息。所以，在這段時間，好好的休息，就不容易貧血。因此，我們知道只要遵循自然法則，那麼我們的身體就可以得到很好的復原。如此這般，我們在工作的時候會十分有精神，在休息中得到全然的放鬆。

　　下午 1 點到 3 點，是小腸運作的時間，所以午餐最好在下午 1 點前吃完。下午 3 點到 5 點，膀胱運作的時間，這段時間要多喝水是重要喝水的時間，效果也最顯著。如果腎臟與膀胱不好的人，最好在這段時間喝下 500c.c.的水。下午 5 點到 7 點，是腎臟活動的時間。下午 7 點到 9 點，為心臟與腦神經系統活躍的時間。

　　以上就是 12 個時辰的經絡運用，相信你在看過後，就會明白，為什麼「早睡早起，身體好」的道理了。

　　另外，國外的醫學專家們經過多年觀察研究發現了與中醫「子午流注」有異曲同工之妙的「一天 24 小時身心狀態變化規律表」（註）（由此也能看出中國老祖宗了不起的地方），對於想要有效地安排工作、休息、進修或醫療時間的朋友，可協助您最佳地發揮每個小時的療效或作用，活出精彩的人生。

127

註：本表節錄自《衛生與生活》週刊 2001 年 1 月 7 日第 7 版。

六、祝福的話語

（原講演於台北士林社區大學，2002 年 3 月 14 日）

　　過去十幾年來經常有機會在世界各地演講，在做過深入的研究以後，我們看到許許多多的現象，而這些現象有很多是一些沒有辦法解開來的奧秘。譬如說這個人具備了各方面的能力、才華、條件，可是都沒有成功，或是成功總是很短暫，失敗總是很長時，或是說這個失敗總是在快要成功的時候才失敗，而且好像怎麼樣努力，他的人生就是沒有辦法達到生命之中渴望的目標。

◎ 照著夢想去實現

　　各位都聽過一句廣告詞「肝那好，人生是彩色的；肝那不好，人生是黑白的。」其實各位如果已知道生命之中或成、或敗或興盛、或衰微，裡面都有一定的規則可以遵循，會在這些定律規則之中發現到，人生到底怎麼走，你會擁有你自己想要有的人際關係，想要有的家庭生活，想要有的居住環境，想要有的一切人生夢想，都可以實現，如果你要的話。

　　那麼有些人呢，他不知道這個定律，但是他還是成功了，就好像我們不知道地心引力，我們不一定要去了解，但是我們一樣可以被地心引力所影響。

　　譬如說你從高的地方摔下去，那麼你知道結果是什麼嗎？不是骨頭都斷，就是莎喲娜拉，所以我在很多地方他們都會問我這個問題，我一年差不多平均演講場次 300 場，前年剛剛回國的時候，那一年差不多講了 500 場，這還不包含廣播電台跟電視的工作，都不算，那電台如果再算進去，一年又是 50 場，所以我在

思考大部分的人，都會問到的問題是：為什麼我就是始終不能成功，或是我成功得來的是這麼難，失敗可是這麼容易，那裡面是不是特別有一些需要，我們花時間深入了解，以至於我們不要掉進陷阱裡面去。

所以我想利用今天演講的機會，我把這樣一個秘密給解開來，各位我們再回頭去思考，自己曾經走過的人生。甚至你用這個法則來看，我們現在所居住的這個地方，來看整個國家，你看整個世界，都可以找到很重要的一些法則跟定律，而這些法則跟定律，你一旦今天了解並立即去運用，我保證它馬上生效。

就好像現在拿一個東西，比如板擦你把它舉起來，你若放掉，那結果是什麼，一定掉下去嘛，對不對？這個就是定律，這個結果是一定會產生的。

所以我們一起來想，我們看到為什麼有些人十分努力，但結局是十分落魄，這生命裡面一定有出了一些問題，這個問題到底再哪一個地方？哪一個環節沒有扣住呢？

所以我心裡頭有一些很強烈的感受，我很希望幫助全世界每一個想成功的人都可以成功，想快樂的人都可以快樂，但是我發現到大部分的人都沒有成功，在社會學也好、心理學也好、成功學也好的統計，世界上成功的人不到 5 ％，5 ％都不到，那為什麼大多數人都沒有成功呢？為什麼大多數人生活是痛苦的？為什麼大部分人生活，都是不能夠如他自己人生所願的去發展，我們從這個地方，可以看到實際上有一個很重大的生命關鍵點，你可以去實驗，可以去驗證，會發現一用馬上有效。

◎ 話不能說著玩

今天所要談的是我們所說的話，我們所說的話一不小心就會變成漏掉你能力的洞，這個話很可能變成一個人生的大漏洞，因

為許多時候你會發現，我們不經意之間所講的話，但是卻在刻意之間發生效應，這是最可怕的事情，「我只是說著玩的」，可是你有沒有發現最後結局就已經實現出來了。

所以這個話常常是一個洞，那這個洞你可以放金銀珠寶，當然這個洞你也可能變成一個無底洞，所有的金銀珠寶都漏掉，對不對？都有可能的，所以最可怕的是我們的話很像是一個管道，這個管道有可能幫你連結，去接收天地日月之間的能量，吸收日月的精華，當然不會變妖精，你放心；那麼也有可能呢，這變成一個管道，把你的能力、才華、智慧、財富、生命、時間都流掉都有可能。

所以這是一個導管，或好、或壞是你自己完全可以掌控的，這是比較難的一件事情，因為我們從小到大每一天都有許多講話的機會？可是我們所講的話，竟然百分之百可以完全決定我們的人生是怎麼走，一個人思想要改變不容易，很多時候根深柢固，你要他馬上擁有強烈的行動力，為他的成功付出代價嗎？不容易，因為他可能懶散好長一段時間。

我常覺得各位能夠利用這個時間，白天上班晚上還來上課聽演講，真的是非常用功，所以各位理當很有成就，當然會看這篇文章的人也應該很有成就。可是為什麼大部分的人並沒有成功？其實裡面有一個大的環節，是我們濫用了我們的話。因為我們所說的話，比我們所做的事影響力更大。

不管從任何一個角度去看，你會發現到，每天所說的話，當我們說完之後，其實話是永遠存在的。所以你一定要很小心你所說的話，因為你所說的話直接會連結到你生命的結果。

◎ 不好的話猶如詛咒

有一次，有一位年輕的企業家非常有成就，她看到我成功學

的書，就打電話到出版社找我，說：「教授你一定要答應我來找你。」可是我說：「我馬上要出國了，沒有時間。」她說：「你等我，很緊急，一定要找到你。」我說「妳在哪裡？」她說：「我在高雄，只要你一點頭，我現在馬上坐飛機過來。」我說：「好吧，妳來吧！」我通常在上飛機前都不太安排事情，所以這個是比較容易找到我的時候。她飛到時第一句話跟我說：「我早在結婚之前，我就知道我這個婚姻沒有多久就會結束。」我說：「妳的人生，實際就跟妳所說的完全一樣去發生。」

後來她回憶她所說的每一句話，都在她的婚姻生活裡面應驗。因為包含她對她先生的期待，我講的期待有好有壞，或是正面、或是負面，結果所有照著她所說的發生，很可怕。所以開始發現到有一個人生的重大奧秘是「話語」。

我們所說的話語，具有創造力更具有毀滅性。創造力是指它變成一種祝福；而毀滅性呢？它就變成一種詛咒。很可怕，所以你看到詛咒的詛，一個言和一個且，咒是兩個嘴巴，不是一個嘴巴說，是兩個嘴巴說，你明明是一個嘴巴，怎麼會變兩個嘴巴？因為你所說的會加倍回來，所以是兩個嘴巴。你說好的會回來一倍，你說壞的，也會回來一倍，這是最可怕的。最近這幾年，神經語言學開始快速的發展，所以我們到 20 世紀的時候，找出一個很重要的結論，那就是「腦部的語言中心控制著全身的神經系統」我再講一次「腦部的語言中心控制著全身的神經系統」。

我們全身所有的活動，都是由神經系統來調動。可是你知道嗎，誰能夠決定這個神經系統的動向呢？是你腦部的語言中心，也就是我們腦部發出什麼樣的語言，我們的身體就會照著你所發出語言的形式來發展。

這點就非常非常的可怕！我想各位回去可以做一個實驗，早上一起床時就告訴你自己「我真倒楣」你會發現今天一天你會很

131

倒楣，其實不是你倒楣，是遇到你的最倒楣。如果你告訴你自己「我好累哦」，你會發現你真的就愈來愈累。

有一次我到老人團體去演講，大概算一算演講場次比例，特別高的是老人團體和婦女團體，學校不用算，因為學生是學分制，那各位比較用功沒有學分也來上課。老人家竟然會問我一個問題：「教授你記憶力那麼好，我們年紀大了記憶力都退化了，有什麼方法能讓我們記憶力提升？」我說：「你有沒發現，你認為自己記不住，就愈來愈記不住了。」因為你已經透過你的語言中心來發布一個命令告訴你的身體現在開始「記不住」是不是這樣？你可以試試看，當你爬山的時候，你如果告訴你自己「撐不下去，好累哦！」你就會發現就愈來愈累了。

我在臨床上面都是做癌症比較多，我發現能死裡逃生的，能夠不斷恢復健康而且非常快速，所謂的末期癌症病人（像最近有一個病人也是這樣，醫生已經通知他家人回去幫他辦後事，結果短短的 3 個星期，再回原來醫院檢查時，醫生驚訝地發現竟然找不到癌細胞了。）其實除了飲食方面要配合外，一個很重要的要素是心境。

然而會死得早的人，因為他聽到醫生告訴他說，你只能再活三個月、六個月或一年，然後他就真的開始等三個月、六個月、一年，然後到了時間——死掉。因為他的語言中心，已經有這個命令下來，所以他身體內所有的機能，就來配合這個事情發生。

◎ 你所說的話就是人生預言

你若不相信，今天回去可以試一下，每天晚上睡覺之前，對著鏡子看一下，說我愈來愈老、我老得很快，那皺紋一夜之間可以增加很多。所以我們發現到如果你想開創一個成功的人生，你必須要借重話語的力量；因為你所說的每一句話，都會成為你人

生的預言。

　　有時候我們會覺得很準，其實這個話語之間牽動你的人生，所以要很小心。有很多人說我不會我不會，卻發現真的不會；若說我不行我不行啊，就真的不行了。

　　各位要很小心，因為怎麼樣給自己發出命令來，你的人生就會朝你自己所預言的方向去進行。因此發現到個人的發展，以至於一個國家的命運，都跟你所說的話有關係。

　　台灣現在和十年前比起來，你覺得現在社會環境比較好，還是十年前比較好，甚至再推二十年前，現在比較好還是二十年前比較好，你有沒有發現反而二十年前比較好。

　　有一次我在慈濟功德會演講時，問師兄和師姊們：慈濟現在做的工作遠遠超過二十年以前，可是現在為什麼比十年二十年前更沈淪更墮落？他們每個人都瞪大眼睛看我，說為什麼慈濟做的工作愈多，反而沒有愈好。因此我結論「善事不足以改變社會」，社會不是因為善事而改變的。

　　再舉個例子，美國有個宗教團體，到印度後發現他們太窮了，一個鄉村小小城市乞丐就有五千人。美國宗教團體非常熱心募捐了很多錢，不幫忙還好，結果竟然出現五萬個乞丐來。

　　所以有人說去中國大陸要特別小心，因為如果有人向你要錢，你給他的話，給完之後一大堆人就跟過來。各位，不是我們做好事這個社會就會改變。所以我向慈濟的師兄師姊發出一個挑戰，許許多多有影響力的人，口出妄言隨便講話，而地位愈高的人所講的話，牽動整個地區或國家民族的命運，是更強烈的，所以很可怕。

　　我們先舉些例子，為什麼大多數人自信心不足？我們可以做研究，整個成功學上有 54 個失敗的原因，其中排名第一名是自信心不足。各位有沒有發現到大多數人對自己自信心不足，改變

133

一個人之前，先重建他的自信心，他的人生自然會愈走愈好。

我們回憶沒有自信心是從小時候就開始。為什麼我們小時候沒有自信心？因為從小到大常常被父母不良的對待（其實是虐待，講虐待太難聽）我們常常會被許多師長不良對待。

舉個例子，父母親帶我們出門，鄰居親戚說：「你的小孩好乖哦！」父母會說：「等一下你就知道，現在暫時乖一下，等一下你就知道了」。我們從小常常是被貶抑的，表現很好的時候父母親很少會稱讚你，所以我以前懷疑他們：「稱讚一下牙齒會掉光啊！」他們說：「沒有啊！」他們的理由是：「會把我們寵壞，尾巴翹起來。」因為我們有一個很嚴重的錯誤觀念，國內很有名的心理學家，他做了很多這方面的本土研究，發現到華人普遍有很嚴重錯誤的教養觀念，認為「激發羞恥感與責罵是最有效的教育方式」，再講一次，記住通常再講一次都是考試會考的題目，不見得是學校的考題，但或許是人生的考題，「激發羞恥感與責罵是最有效的教育方式」。這個錯誤觀不用花太多科學分析，各位回想一下：你們被老師、父母親罵完後是充滿了活力，像卜派吃菠菜一樣，還是像洩了氣的皮球？一定是像洩了氣的皮球嘛，非常可怕，可是很多父母親像在國外不管住多久，對小孩罵的方式還是沒有改變，而且還發揚光大，怎麼每位父母都差不多？

現在我們以成功學、心理學和醫學的角度廣泛性來探討：為什麼許多癌症病人聽到醫生表示最多只能再活三個月、六個月，病人就接受？一個很重要原因是，從小到大，如果沒有接受這些權威人物的指令就會被責罰，而心生恐懼，故不敢抗拒權威人物所說的話。結果這些權威人物所說的話就決定了他們的命運。

所以為什麼沒有救的癌症病人到我手上都能救得回來，最主要的治療方式是什麼？我最主要是先治療他的心理，我要他先聽

我的現場演講或錄音帶，先激發他康復的信心。前天，聽到一個讓我很感動的事，有一位美容院老闆娘常聽我的錄音帶，我並不認識她，有一天放了捲新的錄音帶給來做美容的朋友聽，反正要待一、二個小時。其中有位小姐原想保養完回去自殺的，自殺前也要漂亮一點，不要死得太難看，因為她的人生發生一個很大的痛苦，實在不想活下去。結果聽完帶子後，不但不想死，而且還要好好活下去，很高興人生精彩，彎彎曲曲多好玩，高高低低多有趣。所以我先激發人對生命的熱愛、恢復他的自信心，讓他知道相信自己可以決定自己命運，不是別人決定的。

　　說實在，我比較怕心臟病、中風，我是指病理學上來說，我比較不怕癌症，因為癌症30％以上是跟心情有關；心臟病、腦中風就不同，要堵住像手指那樣粗的大動脈，談何容易啊！不然你回去堵堵看，這沒有花個十幾二十年堵不住的，所以你說是不是很不容易。但是一個很大的情緒變化、很大的撞擊，很可能就暴發出癌症來。所以癌症好治，心臟病不好治。

○心理學上的四大類虐待

　　心理學上稱虐待分為四大類：

　　1.身體或情感的疏忽，所以在實際醫學臨床上也發現，孩子生下來後只有餵他奶，沒有多久就夭折了，可是若經常抱他跟他說話，那他會長得非常好，而且免疫力特別強，不易感冒，因為他有愛就有免疫力了，會激發他整個生命的力量。為什麼現在年輕人那麼的冷漠，社會上人和人之間沒有感情，我們小時候在情感上被疏忽了，哭的時候，再哭就打死你，其實也聽不懂打死是什麼意思，反正他看到青面獠牙，想到做夢時那些可怕的事。

　　2.責打，只是其中一小部分。

　　3.是性的虐待。像今天報導一位神父，已經對兒童的性侵害

135

有 80 多件，這造成孩子一生之久的性正確認知和排斥恐慌，目前這社會很多，所以盼望各位能夠多了解一些情況，多幫助一些需要幫助的人。

4.心理上的虐待，讓他的認知或情感產生重大創擊，我們從小到大讓父母親或師長用很粗暴而情緒性的話語責罵時，尤其是消極負面（我有時懷疑小孩是不是他生的，那麼難聽的話都可以罵），為什麼現在年輕人性格怪異，有很重要因素，因為從小父母親方面對待他的態度，影響到他長大後，對人的價值和態度，這是很危險的。

◎ 不要欺侮孩子

我小時候住高雄，常和鄰居小孩一起去偷拔芭樂和蕃薯，主人出來後很生氣追著跑：「猴死囝啊，跑哪裡去！」我常想我們就是囝子、又猴、又死，這都是貶抑。

不曉得各位做錯事有沒被罵過，「這麼簡單的事情你都不會」，有時甚至連「白痴」、「笨蛋」都罵出來，是最親密的父母親和老師所說出來的。

這孩子一生之久就被一種咒語所壟罩。到他結婚時就更慘了，人生中被罵的最少時候可能就是談戀愛的時候，他不敢罵你，他罵你你跑掉嘛。結婚後就領受一生之久被言詞傷害最多的事情。為什麼我們從小到大都被這樣罵，更可怕的是我們罵小孩的方式和父母親罵我們的方式都差不多，這叫做「代代相傳」。

如果今天我們不決定改變，我們下一代還是一樣被蹂躪，而且對父親的不滿會投射到丈夫身上去，對母親的不滿會把妻子當成母親一樣看待。和太太起爭執時，先生不是在氣妳，是氣他的媽媽又向他嘮叨，妳今天嘮叨的樣子和他母親一模一樣。

那為什麼要娶妳，因為你跟他媽太像了。然後他小時候又常

被嘮叨，所以他就很生氣，他一直想改變他媽媽對他的嘮叨，可是改變不了，所以找個女生跟他媽媽很像，可以一了數願征服他媽媽。

女孩也是，我見過三個這種例子，在大學時候是學校公認的校花，功課各方面條件都很好，很奇怪最後一個嫁給吸毒，一個嫁給酗酒，一個嫁給黑社會老大。結果發現這三個女孩的父親就是這三種人。

其中一位她小時候父親酗酒倒在路旁，必須去把他扶回來感覺很痛苦，想要改變她父親，但是一直到她長大，她父親都沒有改變，所以很多條件非常好的男孩子追她，她都看不上眼，獨獨有一個很愛喝酒很多不好生活習慣的人追她，她竟然就愛上他，因為他太像她父親了，然後她有一個心願，以前那個老爸爸改變不了，現在找這個「新爸爸」看能不能改變，多可怕啊！

所以人生有很多痛苦就是這樣，我懷疑是不是我們都受了世代詛咒，為什麼人的命運是這樣淒慘，為什麼我們民族會這樣痛苦這麼多苦難。我很喜歡讀近代史，為什麼我們是這樣多苦難的一個民族，是不是跟我們習慣講的話有關係。我們從小到大最喜歡講的話是什麼？天氣很熱說熱死了，天氣很冷說冷死了，吃得很飽說撐死了，肚子餓了說餓死了，有點生氣說氣死了，沒有美說美死了，還有愛死你了，到底是愛到死，還是愛他死，還是愛給他死，什麼都是死死死，弄得生命裡面沒有生氣、沒有力量，我們對孩子也常這樣講。底下是我在聖經上看到很重要的一些話，我想讀給大家聽，各位可以參考，我之所以引用宗教方面的話語，因為這些話語都經過幾千年，沒有人可以推翻，而且都應驗在每個人生命裡面，各位可做為參考。

儒家說的「一言興邦、一言喪邦」，你講的話對一個國家盛衰都有影響。

「你們所種的是風，所收的暴風」（何西阿書第8章7節和合本）。這意味的是，你給一，回來的是二；你責罵別人一，這責罵會回到你生命中二。

有時候我們會詛咒別人「你要死啊」結果呢？詛咒的人先死，所以常常感覺到台灣什麼時候開始沈淪？每選舉一次沈淪一次，選舉時語言的詛咒交織在台灣上空，把台灣層層包圍起來，使台灣失去生命的活力。

你講什麼話，你的人生就被這話所限制，你的人生就朝你的話去走。最可怕就是對小孩，現在小孩會責怪自己：都是我不好、我太笨了，怎麼這麼簡單的事情我都做不好！其實是從小他的父母親對他所慣用的詞，他一生就被這些話的結果所包圍。

◎ 溫和語言充滿生機

「溫和言語充滿生機，歪曲的口舌使人喪志」（箴言第15章第4節）。我們所講出來的話，是讓人充滿生命的機會，還是讓人垂頭喪志呢？有時一句話會讓人笑，一句話也會讓人跳，你能夠激發的使他跳起來，覺得人生還有希望、人生還有機會，這就是我們發出來溫和的語言。相反的就是暴力的語言，很可能把一個人好不容易激發出來的生命活力給埋葬掉。

另外有一個翻譯也很好，「溫良的舌是生命樹，乖繆的嘴使人心碎」（和合譯本）。我們講的話是否會讓人心碎呢？有句話「刀子口豆腐心」我覺得這句話是很不好的話，你的心不管你是什麼心，如果你的嘴是刀子嘴，傷了就很深，不用豆腐心來解釋，彌補不了那種傷害，而且是一生之久。我很感激我的父親，今天我事業上、學術上的任何成就，有很大一個功勞，除了我母親很辛苦、很耐心的教導我以外，我覺得父親在我小時候，對我發出一個很好的祝福和預言：那時我姊姊在高雄參加高中聯考的

時候，於中午休息時間父親就租下高級飯店的一個房間，讓我姊姊中午可以好好休息。（姊姊後來考得非常好，在旗津那種荒島能考上高雄一女中沒幾位，那時就放鞭炮慶祝），那時我就說：「這飯店好漂亮哦！」我爸爸就說：「你以後的人生都可以住這麼好的飯店。」結果現在我一年坐飛機最高記錄可以飛到80趟，平均有50趟，一下美國、一下中國大陸、一下東南亞，好像真的被驗中了。父親、母親、老師、長官他們所講的話，比任何人講的話，更容易在你生命之中實現，因為他們是有權威的人，所以你要小心在你生命中任何有權威的人，都是最容易把話實現的人，有那種力量。

另一句話「他愛咒罵，咒罵就臨到他」（詩篇109篇第17節和合本），這個人愛罵人家，結果他所罵的就先臨到他；「他不喜歡福樂，福樂就與他遠離」，這福樂的原文是祝福。他不喜歡祝福那祝福就與他遠離了，好的福氣就與他遠離了，當我們喜歡給別人祝福時，這個祝福會先臨到我們，若對方不配得，這個祝福會再回到你生命中。假使我們可以養成習慣，隨時隨地到處給人祝福，你的人生一定會愈來愈好，一直說祝福的話而且要具體心懷感恩。昨天出門時剛好遇到一位顏面受傷的孩子，很直接反應祝福他能擁有良好的自信心，並且在這世界上能活得快樂、喜歡珍惜他自己。聖經上說：「咒罵父母的必治死他」（馬太福音第15章第4節和合本）很重的罪，咒罵是很重的刑罰，在我們國家中許多政治人物最會咒罵別人的，所以台灣是愈來愈沈淪，我依然相信台灣可以復甦，可以愈來愈好，只要我們是說祝福話的人超過說詛咒話的人，只要我們願意給別人更多的福樂，減少給人的咒罵，人生就會有很大的改變。

另一句話說「出言不慎如利箭傷人」（箴言第12章第18節），講話時不謹慎，隨意講一句話，講完時像利箭傷人，講完了傷口

139

還在，算我沒說好了，說了沒有，算了有沒有用，這筆帳是一定要算。

○ 病人最聽信醫生的話

「明智的言語如濟世良藥」（箴言第12章第18節）

所有的醫護人員最重要的是，要給病人相信他可以好，最怕醫生沒有給病人信心，結果講出來的話讓病人受到傷害，很多病人因此失去生命的希望。

據調查，台灣人最不相信立法委員和民意代表，最相信的是醫生，所以從醫的人員都要格外謹慎，因爲太多人相信他們所說的必定成就的事。

雖然也有好的醫生，但也有醫生恐嚇病人，你再不如何你就會怎麼樣，他是怕病人去別家醫院不給他醫，有很多不嚴重不需動手術的，結果醫生把他嚇到不動手術不行。

有位女士得了乳癌，我診斷並不嚴重，我說你慢點開刀，給自己二個星期機會，我給了份菜單，也教她如何給自己做一些激勵幫助，不到二個星期，腫瘤開始變小了，也沒有感覺那麼疼痛了。

我們要給人希望，讓別人知道他還有希望，最窮窮的人就是失去希望，我們每人都可以是醫生，讓他打起精神來，讓他對生命還是產生強烈熱愛，告訴他自己，明天還有無限的可能，那人生就活得精彩，愈來愈有價值，這就是明智話語如濟世良藥。

一個人所說的話直接對你的生命產生影響，一個人罵人可以連續罵30分鐘，我在實際生活裡也有看到，在餐廳裡吃飯用餐有一個小時，有位媽媽罵小孩30分鐘，她很厲害還能把飯吃完，真的罵個不停：「笨啊！連這都不會？你吵死了，可不可以不要問？吃得滿地都是、不要跑來跑去。」後來我忍不住說：這位女

士，妳可不可以誇獎一下妳的小孩幾句？她愣了一下，想怎麼有人干涉她的家政，她想一下說：「平常都罵他，從來沒有誇獎過」。所以「狗嘴裡吐不出象牙」講得很好，好可悲啊，好多人頭腦裡裝的全是罵人的東西，都是壞的東西，移動的墳墓，外面漂漂亮亮、裡面早就壞光光。

○ 生死在舌頭的權下

「你的話句句有後果」（箴言第 18 章第 20 節）你所說的話句句會產生後果，所以當你的話停止的時候，這個話作用還在發生，有時做錯事就過去了，但說錯話會永恆存在，實際臨床實證發現：許多人一生之久為什麼會不快樂，因為他所說出去的話，對自己、家人和身邊的人都產生很大的影響。上次立法委員選舉時，美國非常緊張，他們被台灣很有決定權的人士所講出來的話嚇到了，後來駐美代表向美國做出簡報「他們講的選舉語言不必在意，說說而已」。其實說完以後並沒有過去，結果一直再發生。「生死在舌頭的權下」誠哉，斯言！（箴言第 18 章第 21 和合本）

「我們常常會犯錯，但在言語上如果沒犯錯，那他就是一個完全的人，他能控制整個自己」人的腦部語言中心，會牽動人的整個神經系統。「我們把嚼環放在哪個嘴巴裡面，那能使他馴服，驅使他到我們要去的地方」，一個小小嚼環可以調動一匹馬，一艘船在大風侵襲下，只要一個小小的舵，就能隨舵手的意思使船朝著目的地走。

我小時候住高雄港灣，每天放學看二件事：躺著看天上飛機飛來飛去，坐著看船進進出出，我的童年就是很開心快樂的過，不用上英文班、電腦班、才藝班，所以小時候就有個夢想：坐船到很遠的地方、坐飛機飛來飛去，長大還真的是這樣。

　　大船出港時由一艘小船當導引牽動著走，一個小小的舵就可調動大船的方向，鐵達尼號的舵就是慢了 30 秒才撞上冰山，若是不轉，正面撞擊，可能還不會沈船，船側是整艘船最脆弱的地方。

　　有機會再和各位分析，因為那是 20 世紀初期全世界的一個大悲劇，當時最有名望、最有錢、最有影響力的人，都在那艘船上被稱為「夢想希望之船」出發了，結果首航就沈沒，給我們人類很大的提醒，生命不在我們手上，人以為一切可以掌握的時候，其實是失去更多，所以狂妄的人應該好好調整。

　　「舌頭雖然很小，卻可以說大話」星星之火可以燎原，舌頭向火一樣，在我們肢體之間是個邪惡世界，在器官中會污染我們全身，舌頭藉著地獄之火燒毀我們整個人生路程。人可以制伏野獸、飛禽、爬蟲、水族等所有動物，人從來不能制服舌頭。

　　舌頭是控制不了的邪惡，充滿著致命的毒氣可快速蔓延，就像日本真理教在地鐵放毒一樣，每講出一句話有可能就是一個毒，在毒害我們身邊的人、國家和社會，但是我們可以選擇不去毒害、不去詛咒，而去祝福。

◎ 愈是權威人士，講話愈有力量

　　社會學統計，我們上班族一天有 30 次對話機會，一生之中有 1/5 時間在說話，1/3 在睡覺。一年之中所說的話可寫成 66 本書，每本書 800 頁。平均男人一天可講 2 萬個字，女人一天講 2 萬 5 千個字。男人上班 2 萬字已講完，回到家女人才正要開始講，聰明的男人會讓太太先在外面把話說完，不然先生回到家無話可說，女人卻還有 5000 字要說，女人會很生氣說：我跟你說話你都不說，男人說我累了，女人說我還不累。

　　每天說那麼多話，到底說了些什麼話，由誰口中講出來，愈

是權威人士所講出來的話，對我們人生影響愈大。各位可能有過算命的經驗，「命」是把口拉出來變二個字：「口令」。有人說算命先生很準，當然啦，是他給你下口令，你敢不照著做嗎？所以不要隨便算命，不然會陷入被人家規劃命運的地步，因為口令會直接主導著你的人生。

目前二種網站最賺錢，一個是情色網站，一個是算命網站，算命網站純利潤有上億元，根本不用特別設備只要一台電腦，把姓名、出生年月日輸入就可以，但是要收費的，今年預估會賺超過3億元。因為人在孤單、無助、焦慮、恐懼時想要尋求幫助，小時候被罵是否常覺得焦慮、恐懼、坐立難安，因為人被責罵時會產生這些情感。

我比較贊成用打的，打完會知道是這樣被打，打的時候只能用棍子打手掌，最多三年打一次，常打是無效的，為什麼不能用手打，因為手是用來擁抱的，很多性虐待患者就是小時候常常被用手打，小孩子被打，痛完就忘了。但是孩子被罵後有三種心理反應：1.爸媽不愛我，2.很丟臉，3.我活著沒有價值。這三個綜合起來是「我根本不應該存在」。所以很多小孩被罵到沒有自信心，父母親像承接了神權，所以他們講出來的話就很有權威。很多女人本來很聰明，都是結婚後被老公罵得變笨，女人就說：我是瞎了眼才嫁給你，從此這個女人的視力就開始退化了，但會從肝先退化，因為肝主目，眼睛是肝的表現，心肝沒了，寶貝不見了。太太煮的菜，先生說倒胃口，所以胃就得胃病，開始痛起來。為什麼婚禮要有很多人的祝福，這些祝福會變成生命中很重要的力量。不幸有些是不被父母、長輩所祝福，例如：妳嫁給他，就不要哭哭啼啼回來找我，新人的新生活才開始就在冥冥之中被下了詛咒。

我有位多年沒見面很熱心幫助別人的朋友，十幾年前就引進

143

最好的成功學方面的書籍。他自己開出版社非常成功,有次他花了很多錢去上課,課程上有一堂劈木板的課,不知道為何他始終劈不斷,訓練師覺得很沒面子說:你注意力都無法集中,算什麼企業家。

從此後原本很成功的出版社陸續結束營業。所以朋友們不要隨便選課程,當學生時老師是最高權威,不經意說的話有可能是祝福,也有可能是詛咒,都會影響你的一生。

有時也贊成收取高學費,因為財寶在哪裡,心也在哪裡。我覺得各位會來上這堂課非常的有智慧,我也有智慧,有智慧跟有智慧的人在一起,這就是龍生龍、鳳生鳳、老鼠的兒子會打洞、蟑螂的兒子怕拖鞋。

我們要小心:算命先生、長官、老闆都是有權威的人。

我常提醒剛畢業找工作的朋友,前三年工作環境比待遇還重要,得到最好待遇不是金錢而是適合成長的環境,很多人看薪水多少來決定工作,那就非常危險,這些有權威的人發出來的話是非常有力量的,不得不戒慎。

○ 祝福與詛咒的型態

祝福、詛咒的話可分三種型態表現出來:

1. 嘴巴說出來的話,以上已舉例很多。

2. 寫下的文字,當一張紙寫下智慧或生命時全身充滿能量,寫下死亡時全身無力馬上破功,很多咒語看不懂,但效力依然存在,是否常向小孩說出或寫下我們的愛:我們多麼欣賞他,以他為榮,有你這個孩子我真幸福。馬克吐溫一生之久一直寫情書給他太太,所以感情維繫得非常好,現在電話太方便,文字就變少了,文字可修改較不會出差錯,講話講錯就來不及了,好好善用文字的力量,一樣會發出祝福。中國大陸 50 年來曾走過艱難困

苦、文化大革命等悲慘歲月，政權依然能掌握整個中國，主因就是不斷的用正面積極的話表述，到鄉下地方也是振奮人心的標題。台灣這方面就不足了，到處詛咒、中傷，祝福話愈來愈少，有權威人祝福話愈少，像罵人比賽，老百姓常常幫助沈淪，喜歡政客揭瘡疤所以很危險。

3. <u>內在的誓言、意念，雖然沒有說出來，在自己心裡面別人不知道，尤其被欺負傷害時強烈情緒反應中，對身體和生命都是沒有幫助和意義的，</u>夫妻吵架時永遠不能說那二個字，若說出來就會往那個方向走。有時沒說但心裡卻想「死了算了，死了算了」氣憤中很可能說出這樣的話做出這樣的事。像心裡想：不要娶像我媽那種老婆，不要嫁給像我爸爸那種老公，但是總是娶那種老婆，嫁那種老公。

在生命之中，是否經常給身邊的人祝福，如寫些感謝函或打電話。有次接到至美國學生打來的電話，打了七、八次電話，這次算準時間終於接通了，非常急的說：「老師，我在美國好得不得了，沒事，<u>打電話只為說謝謝。</u>」當時學生要出國時我說：「不要想困難、沒有錢和父母親不支持、英文不夠好的這部分。」<u>全部說正面積極的話，他就改變得愈來愈好。</u>但自己詛咒自己是最難解的。當我們罵孩子時，孩子也相信你罵的是對的，當孩子接受你罵他原因的時候，內心所受到的傷害是更大的，他開始退縮、焦慮、恐懼、感覺生命沒意義，嚴重會憤怒和有攻擊傾向或自殺。有個病例：小孩子 8 歲就有自殺念頭，告訴醫生不要嚇到，是否可以教他怎麼死，醫生說可以啊，但是你要告訴我，你為什麼想死？因為父母親罵我罵得太有道理了，既然我不應該這樣活著，我活著幹什麼。

另舉例：全世界最悲慘被大屠殺的一個民族是猶太人，猶太人二千年前亡國後流離失所，希特勒想把猶太人全部消滅掉，這

是他一生最重要的工作、神聖的使命，不可替代的歷史責任。此外，很多民族都想消滅猶太人。瑞士有座彼拉多山，彼拉多是審判耶穌的人，他知道耶穌罪不該死，可是猶太人極力主張釘他十字架，一定要他死，彼拉多說：如果你們要他死，跟我無關，我洗手是表明跟我無關。猶太人說了一句話：釘他十字架，血債歸到我們和我們子孫身上！多麼可怕的自我詛咒啊！他們殺了無辜的人，禍及後代子孫。

我們生命中許多痛苦困難，是否也受到這樣詛咒，有可能是自己給的，也有可能是上一代給的。

我做不到、我沒有能力、我記不住，自我的詛咒很可怕，除非撤銷。一對夫妻感情很好，很少吵架，一天為小事吵得很厲害，太太生氣跑回娘家，在市場逛街、散心，有位算命先生說：「小姐，我看妳氣色不對。」那當然，相由心生。又說：「妳是不是為了和妳先生感情事？」八字一排，「哇，還好你們現在鬧得不愉快，八字裡面你們相剋，不只剋兄剋弟還剋父母剋子女。」太太回到家後跟父母親講，他們夫妻就這樣分開了。這女孩父母親是很優秀的知識份子，竟然還相信算命先生的話。

◎ 撤消咒詛，人生撥雲見日

另外一個例子：有位男孩，他父母親也是非常優秀的企業家，他從建中到台大，後來到美國唸書回國，他父親始終不願把事業交給他，他父親對他有很強烈高度要求，並對他表現不滿意，他自己經常覺得對不起父親，他父親太優秀、他又是獨子，肩負很多家庭責任，一點都不快樂。他父親到了 70 歲，還不願意把事業交給他，父親看兒子什麼都不滿意，全家烏煙瘴氣，這就是父親給兒子的詛咒，和他加在自己身上的咒語，交織而成是非常難解，對人生產生非常大影響。但在這企業家 75 歲生日時，

所有親朋好友來祝賀，他父親了解兒子今天情況是他造成的，因為他無盡地把詛咒給他的小孩，使他兒子在外一條龍在家一條蟲，沒辦法完全發揮才能。他生日那天講了一段話，結果改變了他孩子的生命：「今天請大家來做個見證，這幾十年來我創造的事業各位都有目共睹，我始終有個遺憾，認為孩子沒辦法承接我的事業，我以前常責備他，直到今天我才了解，我孩子今天的一切都是我造成的，從小他做好我沒稱讚他，稍微做不對就責罵他，所以孩子變得沒有自信心，我給了他無數的詛咒，今天我要當各位的面向孩子道歉：我承認我把痛苦和詛咒加在你身上，請你原諒我，因為這詛咒害了你辛苦的走過幾十年，其實你是我心目中最優秀的兒子，你太棒了，有了你，我感覺到很驕傲。」奇怪的事發生了，他一講完，他兒子變了一個人，做事情很有自信心，做得非常好，這就是籠罩在他身上層層的詛咒被破解後，一瞬間可改變人的一生。

147

用宗教來說這就是認罪、悔改，如果你曾經對人有過詛咒，這個詛咒要直到你去承認，你要承認曾經有過這樣傷害，我們常把別人給我們的傷害再去傷害別人，這會代代相傳，所以當我們承認後，這詛咒才會終止，人生會重新開始。

盼望今天回去後，該道歉的趕快道歉，懺悔的趕快懺悔。如果小時候為了搶玩具而恨我們的父母親，趕快道歉，因為只有認罪悔改道歉才能終止咒語。「請你原諒我」，很難說出口，但卻是非常的重要。像家門前臭水溝一年清一次，但我們心靈有多久沒清了呢？

第二個是撤銷，宣告撤銷以前所說的話，並請求原諒。要去完成生命之中未完成的情緒，如我們小時候向父母親要錢，父母不給，心裡就想，我以後也會賺錢，有什麼了不起。小時有被父母或師長給欺壓的經驗，而敢怒不敢言，心理強烈怨恨。

　　第三個是替代：重新建立新的積極、有建設性、有信心的話語資料庫，我們罵小孩的話語和父母罵我們的話語神情沒有什麼差別。只要讓我們頭腦接受積極正面的話，那就沒辦法去接受負面、消極的話語思想，我們要常說正面、激勵人心的話。例如：優秀、棒極了、好棒哦、太好了、太美了、美極了、好漂亮、好高興、好幸福、真快樂、你是個人才啊、遇到你真幸福、我好幸運、天天都有好事情到、遇到你真高興、你是貴人、我真有福氣。希望每人每天都要說好話。

林義華　44歲　（中國大陸）

◎肝、腎功能恢愎了

　　電腦工作者，2002、1、7被診為胃腺癌，手術，化療，身體虛弱，體重降了近20斤。

　　接受食療1個月時間，認真、完全吃，效果：體力增加，體重增加2斤，食用半個月時血小板降到6萬，又半個月後，上升到1.1萬。一個月前測胸腺有一側好，一側不好，一個月後，兩側胸腺全都正常，肝、腎都很正常，原來體虛盜汗很重，現在已徹底解決。

心善人輕，
水好血淨。

七、對神的信仰

「上帝說：我們要照著我們的形象，按著我們的樣式造人，
……上帝就賜福給他們」

（創世記第 1 第 26,28 節和合本）

◎ 宗教信仰能提昇人的幸福感

由於受到精神分析學派佛洛伊德的影響，不少心理學家和精神科醫師，對信仰懷有偏見，認為宗教強化人的罪惡感、恐懼感和羞恥感，還阻礙個人成長，使人思想偏激、褊狹、僵化。但事實證明宗教可以算是一種效力強大的心理治療，無論哪一種宗教，都會有一定的心理治療效果。

Koening 整理的在 20 世紀出版，和宗教信仰與心理健康相關的 850 篇研究報告中，有 500 篇以上支持宗教思想對心理健康的正向影響；也就是說，宗教信仰能提升人的幸福感、生活滿意度、積極情緒和道德感；信教者往往比較樂觀、對生活抱著希望，宗教信仰讓人活得更有意義、更有目標、有方向；有信仰的人比較不會有情緒困擾；信教者與家人關係較為密切，人際關係也較為廣闊。

◎ 信仰是很好的治療劑

在 1986 年到 1992 年期間，美國杜克大學醫學中心針對 4000 名 65 歲以上基督徒老人身心狀態所做研究報告指出，「祈禱者活得長」。也就是說，甚少或從未祈禱者在受訪的六年期間，死亡的機率高出定時祈禱、默想或讀經的老人 50%。其實默想靜思

能減壓，從而降低對身體無益的腎上腺素的分泌，使得身體免疫得以增強。美國國家健康總署稱道杜克大學的這份研究是針對祈禱與健康的第一個研究，整個設計周延而完整。

來自醫學上的追蹤報導，200 多位接受開心手術的病人，在術後六個月，自認可以由信仰得到平靜和力量的人，存活率比其他人長 3 倍。30 位因臀部骨折而開刀的老年婦人，有堅定信仰者，在出院時的行為狀況較佳，憂鬱度也較低。300 位內科及神經科的住院榮民，倚靠宗教來調適自己的鬱悶度，結果他們的心情極為穩定，而且在六個月後依然持續。

另外一份對 71 位失業的亞洲移民進行調查，發現宗教信仰對失業的心理衝擊有緩解作用。在愛滋病人中，勤於靜坐和祈禱的人，有較強的生存戰鬥力。有堅定信仰的癌症病人焦慮較低、感覺生命有意義，對前途懷抱希望。由此可知，信仰可以給身處逆境的人帶來希望，幫助他們找到生存的意義，激發他們生存的鬥志，從而走出生命的低谷。

1998 年，美國有一組科學家研究發現，有人對心臟病患代禱一段時間後，病人的併發症明顯的減少了，這也說明了祈禱的治病功效。

綜合 42 篇報告，調查包括 12 萬多人的結論指出，熱衷於宗教活動的人，約比一般人長壽 30%。而且定期參加宗教活動的人，比較不易罹患高血壓、心臟病。

有超過 200 篇的研究報告指出，信仰有助健康。有虔誠信仰的人比較不易生病，即使病了，康復的速度較快。

雖然信仰能產生如此之多的正面效應，卻可能導致負面的影響。誠如歐普（Allport）所言，信教動機可分內在與外在兩種，具備內在動機的信徒，亦即以信仰本身為主要動機者，會具有較高的自我評價、主控性和容忍度，並且感覺生活有意義、有目

標，焦慮較少，也比較不會感到無助，相反地，以功利、投機的心態入教的外在動機者，通常較容易懷有偏見，以教條處世，容易焦慮，並且懼怕死亡。

目前美國已有70多家主要醫學院開始教授心靈方面的課程，美國精神醫學會也要求住院醫師，必須熟悉宗教心靈方面的課題，在在表示連主流醫學也開始重視心靈層面的健康了。因此，有良好的信仰，並且積極參與各項宗教活動，必可使您獲致更大的心靈健康，收到無價的精神效益，聰明的您，何樂而不為呢？

Gwen Kuek　34歲　（新加坡）

◎最佳良藥來自大自然

◆ 最佳良藥來自大自然，和愛心。

◆ 好的演說者就要像林教授那樣，表情生動活潑，時而嚴肅時而輕鬆，令聽眾目不暇接。聲調緊扣心弦，不捨得錯失任何一句從他口中講出的話。林教授好棒！

Foo Tok Eng　54歲　（新加坡）

◎體內原來有這麼多毒素

◆ 活到今天，只是聽林光常教授一堂課，才知道自己與家人體內多數含有毒素，往後如何解決，希望再有機會多聽這些珍貴的訊息。

◆ 感謝「健康加油站」東方比利和林光常教授的寶貴指導。

杜寶玉　42 歲　（新加坡）

◎ 防癌講座使我獲益良多

◆ 林光常教授講解得很清楚，讓我獲益良多。

◆ 在這一次的講解中，讓我對醫學有一定的認識。

陳秋菊　37 歲　（新加坡）

◎ 金錢買不到的知識

◆ 健康的身體必須自己負責。

◆ 感謝林教授給予的知識，真是有錢也買不到。

Low Soon Huat　48 歲　（新加坡）

◎ 精彩的講解使我獲益

◆ 林教授的講解非常風趣，使人聽了沒有疲倦的現象。

◆ 使我了解吃的健康和快樂。

第六章

健康排毒的餐飲

「上帝說：看哪！我將遍地上一切結種子的菜蔬，和一
　切樹上所結有核的果子，全賜給你們作食物。」

（創世記第 1 章第 29 節和合本）

所謂的健康排毒餐（表格見本章末），顧名思義就是攝取你的身體該攝取的，而不該攝取的你都不要攝取。最重要的是，它不只能保持你的健康，還能將對你身體有傷害的、有負擔的，統統排泄掉，所以叫健康排毒餐。

我們身體的疾病，大都是我們體內毒素長久的積累，無法把它轉化掉的關係。不管糖尿病、心臟病、高血壓、癌症，幾乎統統都是毒素長期累積的結果。所以如果我們可以把我們體內的毒素清除掉，那麼很自然的，你的身體就可以獲得健康的基礎，在這樣的基礎上，你等於創造了健康的環境，你自然就可以百毒不侵，百病不生了。

可是，我們大部分的人，不但每一天沒有將應排的毒排掉，還將大量的毒素送進體內。尤其表面上看是進補的食物，其實是更多的傷害。

在此跟大家介紹的健康排毒餐，也是我在國內外的門診時，告訴病人所使用的方法，效果都非常的明顯。

有一位癌症的病人，當時醫生說他的癌症已經非常的嚴重，甚至連手術都沒辦法做了。在他絕望之餘，他的朋友把他介紹到我這裡門診。當我對他進行診療的時候，確實發現他非常嚴重。於是就告訴他這套健康排毒餐，請他確實的進食，結果他吃了大概五個禮拜後，再回到醫院去檢查的時候，大部分的癌細胞都已經不在了。而這樣的例子，不是只有一個，而是非常的多。有一位大學教授，他是一位肝癌病患，也是在吃了這套健康排毒餐後，在不到兩個月的期間，他的癌細胞幾乎都找不到了。另外的一位乳癌患者，也是在使用這套健康排毒餐後，不到一個月，那個腫瘤就開始縮小了。

最近這十年以來，癌症始終就是死亡排行榜的第一名。最新的資料顯示，現在是每 10 分鐘，至少就有一名得癌症，而每 4

個人就有 1 個人得癌症。在這麼多的癌症裡面，除了肝癌、肺癌始終都保持在前 2 名以外，現在第 3 名並且竄升最快的，就是直腸癌、結腸癌等腸道方面的癌症。

癌病患都有一個共通的現象，就是便秘。一般人都輕忽便秘，其實便秘是通往直腸癌的捷徑。他們攝取大量對身體有傷害的食物，以致造成對身體的傷害。這套健康排毒餐，對於便秘的人具有快速的幫助。

這套健康排毒餐，運用在臨床上，發現對大腸癌、胃癌、直腸癌、肺癌、肝癌、乳癌、子宮頸癌，這幾種癌症特別有幫助。當然你不要得了癌症才來吃，從現在起，你就可以利用這套健康排毒餐，幫助你將體內的毒素一一排除，讓身體得到全然的健康，完完全全脫離癌症的夢魘。

○ 排毒早餐吃法

早餐食用的是，1 份水果＋ 2 份蔬菜＋ 1 份地瓜＋ 1 份米飯。也就是說，我們把每一餐分成 5 等份，其中水果、蔬菜、地瓜、米飯的比例是 1：2：1：1。

若你是重症病患及慢性病患時，我們就建議你把早餐分成六等份來吃，水果吃 1 份＋蔬菜吃 2 份＋地瓜吃 2 份＋米飯吃 1 份（也就是地瓜增加到 2 份），若本地不產地瓜，則以馬鈴薯來代替。

一種水果

較適合我們的水果，包含蘋果、番石榴、香蕉、柳丁、水梨、葡萄等。但仍須注意必須符合當地、當季、盛產的原則，而且連皮食用。

什麼叫做當地的食物呢！指的是產地在同一緯度或同一個氣

候帶，如台灣是亞熱帶，則熱帶與溫帶水果皆適合，寒帶食物則不適合。所以選擇水果的原則：以當地、當季、盛產之水果為原則，凡是進口水果與非當季之冷藏品均不宜。例如紅毛丹、山竺、榴槤等。

那如何判斷什麼是當季盛產的呢？很簡單，你在市場內看到最便宜的就應該是當季盛產的了。如果價格較貴，應該就不是當季的食物了。所以各位讀者你們會發現，我們這套健康排毒餐非常的便宜、簡單、有效、安全、沒有副作用的。

此外，如何正確的攝取也是一門很大的學問，我們在這裡希望所有讀者都能食用蔬菜及水果完整的部分，也就是連皮食用，因為大部分的外皮是鹼性，而幾乎所有的果肉都是酸性的。

水果大部分是酸性，因此我們攝取的比例只占一份。慢性病患所食用的水果，需經專業人員一一檢視過，方可食用，效果較宏大。

二種蔬菜

蔬菜是鹼性，所以我們攝取的比例應較多，約占兩份，這樣才容易酸鹼中和。我們要透過飲食，可以幫助我們身體回到平衡後，很自然就不會生病了。

所有食物要分解、吸收，都要靠酵素，而幾乎所有的蔬菜、水果類都擁有大量的酵素。雖然這是值得慶幸的，但酵素在超過54°C的溫度時就被破壞了。所以每一餐裡面，一定要有50%以上的蔬菜是生食。

特別是早餐中的水果與蔬菜都要生食。我的病患就問過我說，生食會不會較冷？上帝創造食物非常奇妙，其實如果你將皮去掉來吃，就會比較寒；但連皮一起吃就不會，反而非常有助我們的健康，給我們更多的能量！

上帝創造食物的時候非常的完整。我們卻把它切割，有些食用有些則不食用。就如一般我們在食用西洋芹時，並不會連葉子攝食，因為它不好吃，而且苦，但其實葉的營養，與根與莖的營養是不一樣的，所以應該是完整的攝食，當我們把它切塊後，分塊攝食，對我們的身體並不好。

選擇蔬菜的原則：以根、莖、花、果四大類為主，凡是芽菜類及葉菜類則暫時不宜。根、莖、花、果四大類的蔬菜由於較容易生長，農藥比較少，且含有高度的礦物質，能量也特別的高。

我們推薦適合的蔬菜有：

根類——紅蘿蔔、白蘿蔔、山藥、牛蒡……等。

莖類——西洋芹、明日葉……等，特別是高山上的明日葉較好。

花類——花椰菜（綠）、包心菜……等，花椰菜在美國又稱抗癌之王。

果類——大小黃瓜、苦瓜、青椒、大蕃茄……等。

至於葉菜類和芽菜類都是很好的食物，但我在臨床上發現，它們暫時較不適合病人在康復期使用（尤其居住長江以南和東南亞地區的病友）。

攝食時仍然要考量到當地、當季、盛產為選食因素。為安全與最佳效果考量，凡是重症病患與慢性病患所食用之蔬菜，需經專業人員一一檢視過，方可食用。另外，女性不可以生食白蘿蔔，要連皮、連葉一起煮來吃。

水果、蔬菜若打成汁飲用，一定要連渣而且立即飲用，否則效果有限。

地瓜

地瓜在我們的飲食中，再重要不過了。剛開始我帶我父母親

157

調整體質，請他們吃地瓜的時候，他們就說：「嗯，以前我們很窮，才吃地瓜，現在生活都改善了，還吃地瓜呀！」我說：「老爸、老媽你們有沒有發現，以前人吃地瓜，都不會得糖尿病、高血壓、癌症呢！現在為什麼大家吃的東西，好像比較精製了，卻增加了許多的富貴病。」你有沒有發現其中的道理呢！

地瓜（黃肉蕃薯）是一種很好的食物，因為它擁有非常完整而豐富的礦物質、維生素、胺基酸。幾乎是涵蓋人類所需要的大多數胺基酸和維他命B群。人體的細胞、指甲、頭髮、皮膚、內臟、血管、紅血球的修復，都是需要胺基酸。其中有8種胺基酸是需要經過飲食攝取，其他的14種身體會自然合成。

有人說地瓜含有大量的澱粉，食用後會不會很容易胖！其實脂肪才是造成肥胖主要的原因，澱粉只是讓我們的器官變得更厚實，更加有抵抗力，而不像脂肪一樣讓我們肥胖。

重症性患者及慢性病患，切記一定要吃兩份較為恰當。一般保健者吃一份，以蒸的方式食用，如果氣溫在15°C以下時，可以烤著吃，氣溫在15°C以上時，就不要烤著吃，以免太燥。

黃肉比紅肉適合，能量較高。特別要注意連皮一起吃，地瓜最外是一層膜，再來是外皮，最裡面才是果肉。當你以清水洗掉沙土，在蒸熟後，將那一層很薄很薄的膜剝掉後，連著最重要的外皮吃掉。這樣可以降低膽固醇，幫助調節腸胃系統方面的疾病。

蔬菜、水果均須選擇無農藥，不用化肥栽種的農作物，否則會影響效果。若對所購食物無把握，可先以蔬果解毒機（其臭氧產生量每小時達200mg以上）處理，較為安全。

糙米（或加小紅豆、黑米、薏仁和黃豆等五穀類）一份

穀類的食物是我們提到的中性食物。有哪些是適合的五穀類

呢？生長在長江以南（含東南亞）的穀類食物，如糙米、紅米、小米、薏仁。生長在長江以北（含美國、加拿大地區）的就有大麥、小麥、燕麥、蕎麥等產物，這些都是有益我們身體的五穀類。

當你吃這些東西的時候，你會發現身體非常舒暢。當然選食時，必須注意生長的地域要符合當地性，也就是說居住在長江以南的人，就要選擇長江以南的穀類食物。而居住在長江以北的人，就要選擇長江以北的穀類食物。

在煮米飯的時候，可以在飯裡加上薏仁、蓮子、紅棗、核仁等，幫助身體吸收到更多的能量。有些人的脾胃特別虛，我們建議不用食用五穀飯，因為怕身體受不了，頂多先行二穀或三穀就可以了。

以上我們所講的食物，要比起很多所謂的健康食品有更均衡的營養，所以我們建議以日用的飲食為主，健康食品為輔。千萬不要本末倒置，以為有了健康食品，就可以亂吃，隨便吃，傷害我們身體。

○ 每天須生飲好水 3,000c.c.以上

我們都知道飲食習慣是很難改變的，但是生活習慣比飲食習慣更難改變，所以這套排毒餐要你更快達到效果，可以用一個簡單的方法，就是從水改變起。因為每一個人都要喝水，只是你現在把喝水量增加到 3000c.c.。

為了讓健康排毒餐能有更好的效果，要讓身體裡面的毒素，從各個器官排出去，這裡面有一個關鍵性的媒介物——水。

有些朋友在食用這套健康排毒餐，發現效果不是很明顯，或是發生排毒的反應非常激烈，有些不舒適感，原因就是因為水喝得不夠。你每天至少要喝 3,000c.c.，慢性病患則至少要喝 4,000c.

159

c.甚至 5,000c.c.才夠。

當然你不需要一次喝到 3,000c.c.，你要少量多次，不斷不斷的喝，千萬不要等到渴了才喝。喝水的原則是，是有空就喝，有空就喝「好水」。

許多女孩子膀胱比較不好，主要有三個原因，第一是憋尿，第二、水喝得太少，不到 3,000c.c.，第三是喝錯水，例如純淨水、蒸餾水等不符合養生原則的水。所以有些人照我說的喝了 4～5 天後，竟然膀胱的問題都改善了。

什麼稱之爲好水，提供各位幾個原則，您可以根據以下這些原則去判斷什麼樣的水是適合我們飲用的好水。

1. 它的 pH 值一定是要弱鹼性，健康人體的體質的 pH 值是 7.35～7.45 之間，只要我們將飲食從酸性的攝取徹底改變成鹼性的攝取（其鹼：酸爲 4：1），恢復正常酸鹼值後，自然就健康了。

2. 水必須保有原礦物質，因爲這些礦物質，不只是對我們身體非常重要，它還可以保持水質維持弱鹼性。

3. 它必須是無雜質，尤其是不能有氯和重金屬。

4. 含高氧量，如山泉水般甘甜。

5. 符合生飲要求不需煮沸即可飲用。

6. 補充一點，淨水的過程不會浪費水資源。

如何選擇最適合的臭氧解毒機？目前市面上所販售的蔬果解毒機，大概只能產生臭氧量達 80～150mg 之間。最好的是，選擇每小時可產生臭氧量達 200mg 以上的蔬果解毒機，才能徹底解決蔬果農藥殘留問題，並大大提高食物和水的能量。

最後，我們說到每天至少要喝 3,000c.c.以上的水，指的是生飲，而不是將水煮沸飲用。如果你有一台水機，如同剛剛我們提到的水機，就可以達到生飲的條件。因爲生飲可以保持最高的含

氧量，而煮過的水就沒有氧了。

水是那麼的重要，所以我研究了 14 個國家 29 種廠牌，想要找出可以製造出符合三個原則好水的濾水器。老實說，非常不容易，找到其中最接近要求的一台。因為它能製造出非常有能量的水，介紹給許多患者使用後，效果都非常的好（在附錄中會詳細解說水機規格）。

◎「排毒早餐」服用的最佳時間

我們前面「規律與節奏」的章節就曾經提到，規律的飲食對人體的重要性。所以我常說「食療」與「時療」配合效果倍增。在中醫裡面也有所謂的時間醫學，一樣是強調自然規律的重要性。

慢性病患最適合用早餐的時間是，早上 6:30～7:00 之間。而一般保健者的早餐時間則是，早上 6:00～7:30 之間。

為什麼要這個時間用餐呢？這跟器官運作的時辰有關，在中醫學中提到十二經絡的觀念，人體的十二經絡在十二個不同時辰中，會有不同的偏重。而早上五點到七點，是大腸經的時辰，也就是大腸蠕動最旺盛的期間。

我每天早上起床，是不需要鬧鐘的，大概到了約 6 點左右，我自然就會清醒，因為這時候大腸已經很激烈的蠕動，會產生很強的便意，想要上廁所，就是因為大腸經的時間到了。

吃健康排毒餐最直接的效果是，在你吃早餐的前後會有想要排便的感覺。而且你每次排出來的糞便，有如香蕉一般，一條一條形狀好看又有草香，而且非常順暢呢！

◎ 配合正確的睡眠時間，排毒餐效果更好

當然如果你吃這份健康排毒餐，能配合正確的睡眠，排毒的

效果則會更好。譬如說，慢性病的病人，晚上 9 點最好就能就寢，因為 9 點到 11 點稱為「三焦經」，是身體免疫系統修復的時間。健康的人最好在晚上 9 點後就呈現休息狀態，則為最佳養生之道。

慢性病患最慢也不要超過晚上 11 點，因為晚上 11 點到凌晨 1 點走膽經。凌晨 1 點到凌晨 3 點，是肝臟修復的時間。此時身體需要較好的休息。所以，在這段時間，好好的休息，是保健的基本要素。如不能休息，也一定要停止一切活動。

◎ 14 天強力排毒計劃

我們知道有些慢性病的病人是和時間賽跑，譬如說，他已經有腫瘤的反應，我就會建議病人要強化排毒的效果。就是除了吃這套健康排毒餐以外，可同時進行 14 天強力排毒計劃。利用這個排毒計劃，可以幫助身體強力排毒，透過 3,000c.c.的好水，把它排出去。

這個方法，我們要借重日本生物科技所研發的植物綜合酵素。我在病理臨床上用得非常多。方法如下：

第 1 週：每 1 小時 1 匙（滿匙）植物綜合酵素，1 天 16 匙（睡覺時不吃），配合喝大量的水。第 2 週：每 2 小時 1 匙（滿匙）植物綜合酵素，1 天 8 匙（睡覺時不吃），配合喝大量的水。第 3 週以後：3 餐飯後 2 匙（滿匙）植物綜合酵素（有關植物綜合酵素的詳情，會在附錄四中清楚說明）。

◎ 特別注意的現象

各位在使用排毒餐後，有些人會有好轉反應。也就是說，食用一段時間後，好像你會感覺身體比食用前差。因為這是身體尚在排毒階段，毒素已排入血液中，將要排至體外這是必要的過

程，好現象。

在臨床中，就有高血壓的病患，剛吃一段時間，血壓量起來好像會比原來高，可是身體感覺比以前好。還有糖尿病患者，剛吃的時候，血糖會高一點，過幾天就會恢復正常了，請安心繼續服用。

好轉反應現象列舉：

㈠頭痛、虛弱、感到不舒服、皮膚敏感、大便緩慢、拉肚子、多尿、疲倦、不想動、神經緊張、易怒、消極及憂鬱、發燒或其他類似感冒的症狀。

㈡有的宿疾、被藥物壓制未真痊癒的，會發出來。如高血壓患者，血壓可能暫時更高，有糖尿病者血糖可能更高（不用擔心，這是好現象），不需理會，過兩天自然會恢復正常。

無論如何，大多數人會發覺這些反應是可以忍受的，而且你應該很高興，因為這套健康排毒餐對你特別有效。在好轉反應時，要多休息、多睡覺、多喝水或多吃植物綜合酵素，症狀就會減輕（有關好轉反應的詳細內容，請詳閱附錄㈦）。

◎ 健康午、晚餐進食的大原則

你可以依據你居住當地的情況選擇符合當地、當季、盛產原則的食物來食用。美國久志道夫學院提供了極有價值的 Macro-biotic 飲食法，頗值得採用。

其中食物的比例是，50%到 60%五穀雜糧類。各位有沒有發現我們的身體愈來愈不好的原因在哪裡？因為我們現在的主食都已經不再是五穀類了。取而代之的則是速食品，如漢堡、炸雞、薯條、牛排。也有朋友說只吃蔬菜行不行呀？

中醫說「五穀最養脾，天生萬物，獨厚五穀」。這就是為什麼五穀在我們的飲食中，占有著很重要的角色，原因是五穀對我

們的脾臟很重要。許多朋友就有這樣的經驗，只要五穀類攝取足夠，就覺得飽足感，因此就會瘦下來，不容易發胖。

蔬菜類至少占 25% 到 30%，攝取原則同前。10% 到 15%，則是豆類堅果類或海藻類，特別注意，癌症患者與腎臟病患，則儘量暫時不吃豆等蛋白質類。因為攝取後，腎臟的負擔會非常的重。最後剩下的是，5%～10% 的湯，可用蔬菜或海帶、紫菜……等材料。

聰明的你應該會問，那麼怎麼沒教我們如何吃水果呢？好，我們就來說明如何吃水果。

以前我們常說飯後吃水果，幫助消化，其實水果要在兩餐之間吃。因為我們之前所吃進去的食物，胃正在慢慢的消化當中，占了很長的時間，這時候你吃的水果，因為沒辦法馬上消化，開始發酸，對我們身體反而是一種傷害，而造成沉重的負擔。

所以在兩餐之間吃水果，就是要讓水果快速的通過胃，讓小腸吸收。如此這般，你的身體就不需要花去一些能量，去做消化的工作，進而能轉移到修復組織上頭，那麼我們的身體受損的部分，自然就會修復得非常快。

此外，午、晚餐攝取的過程，就和早餐一樣。先喝湯，接下來吃蔬菜、豆類、藻類，最後再吃五穀類。

但有些上班族的朋友，由於午、晚餐多半在外攝食，因此要照這套健康排毒餐吃會有一些困難，該怎麼辦呢？這種情況下，我會建議你，不妨在早上出門時，帶一份水果、兩份蔬菜，準備在午餐食用，而且你可以直接生食，那就更好了！

如果我們沒有足夠的生食，酵素就不足，酵素一不足的時候，所有食物進入我們的體內後，就不容易轉換。因此這時候，就需要用我們身體原有的酵素來取代，這樣一來，我們的身體就很容易增加負擔，而且容易有疲累感。你下次在吃完大魚大肉

後，注意身體是否特別覺得疲累！就是這個原因。

但是如果你的一餐內，沒有 50%的生食，那麼你就一定需要額外補充植物綜合酵素。只有酵素才能確保您所攝取的食物，是增益身體能量，否則就是耗損身體原有能量。

此外，在餐廳用餐時，建議你可以準備一杯水，先將菜在水裡涮一涮，這樣可以將油、鹽、味精、糖給涮掉，也可以吃到食物的原味。以前我們都被油、鹽、味精、糖所烹調出來食物的味道給迷惑且麻痺我們的味覺，但事實上，食物的原味，更加的美味及爽口。

我們曾經做過一些臨床，給剛出生不久的小孩吃黃蓮，他覺得滿好吃，接下來，我們給他吃一點蜂蜜後，再給他吃黃蓮，他就不願再吃黃蓮了。也就是說，**口感是可以養成的習慣**，而我們的身體常常被這樣的習慣傷害了。

喜歡吃鹹的人，腎不好；愛好吃糖的人，脾胃不好；而愛吃辣的人，呼吸系統不好。所以為了不增加我們身體各器官的負擔，還是儘量少吃油、鹽、味精、糖精製的食品，以食物原味來取代調味。不久，待我們味覺恢復以後，就可享受食物不同的原味了。

165

○ 每天所攝取之食物纖維

應達 30～35g 之間，則排毒效果才會明顯，一般現代精緻加工食品之飲食中，纖維素僅 10～15g，難怪直結腸癌患者急遽往上攀升。所選食物之纖維素若不足，請另行增補高纖維營養（有關纖維素營養品之選擇，附錄中另詳加說明）。

○ 每一口食物咀嚼 30 次

保證你不會發胖，也不會得老人痴呆症，頭腦靈活，身手矯

健。

（手寫字）冰
咖精、醬油、加工、咖啡、酒
魚、蛋、奶、肉、油鹽糖

○ 調整體質期間，所忌的食物

在我將健康排毒餐仔細的講解後，還要請您特別注意，你千萬不要一邊排毒，還一邊「中」毒。我在臨床研究發現，調整體質期間，爲了要讓健康排毒餐的效果更好，就要儘量減少毒素再進入體內，那麼排毒效果就會加倍。

以下就是在調整體質期間，忌諱食用的食物。因爲這些食物你再攝取的時候，很容易造成身體的二次傷害。

魚（含海鮮）

好像我們從小就常聽到，多吃魚會聰明。因爲魚裡面含有十分豐富的營養素。所以也是我認爲唯一可以通融食用的肉類，但一定要在你身體非常健康的狀況下，在一個禮拜吃兩到三次。

但你在挑選時，儘可能不是淡水魚也不是海水魚，因爲大部分的海域已經被污染。遠洋的漁船，在捕魚回來的途中，爲了要減輕重量，便將用完的廢電池傾到海洋去，廢電池含有據毒物質－汞。另有許多不肖漁民用氫化鉀去毒魚，結果造成嚴重的海洋污染，所以大部分的魚肉含有大量的重金屬，攝食後將傷害人體的腎臟。故唯一能吃的魚，大概是高山湖泊裡的魚了。

另外，據美國傳媒報導，因著許多工業廢水排入河水中，許多魚類因吸入過多重金屬，結果產生了大量得癌症的魚群，消費者不可不慎。

肉

尤其是紅肉，如豬肉、牛肉、羊肉、狗肉、兔肉；白肉如雞肉。因爲肉類是強酸，容易造成酸性體質。如果你非吃肉不可，

那麼你保證是酸性體質了，因為鹼性體質的人不會想吃肉。

全球肉類的問題頻繁，如狂牛症、瘋牛症、雞瘟等。民國 91 年 2 月 8 日，長庚醫院追蹤了 13 年，發現這類的肉所產生的細菌，現在已經產生嚴重的抗藥性，而且 20%到 30%是沒有藥可以救的。

由於販售商，為了加速增加產量，便對豬隻、羊隻、雞等，注射大量的賀爾蒙、開胃劑、鎮定劑，同時亦注射了抗生素，使雞不易生病，如此一來，原本只要 9 至 12 個月才養大的雞，現在只需 21 天即可養成。所以我們的下一代出現早熟、畸型發育的現象，普遍增加。例如女孩的發育較快，初潮提早，胸部發育快；而男孩的生殖器官卻變成不太發育。雖然不能說是絕對的影響，但賀爾蒙與抗生素，確實對人體有很大的傷害。

很多人吃了這套排毒餐後反應說「奇怪！醫師，我照這套餐吃了以後，一段時間後，我對肉已經沒興趣了。」為什麼？因為體質已經調整為鹼性體質了，根本不會想再去攝取這些酸性食物。

蛋

是高度、濃縮的蛋白質，我們身體很難消化及吸收，因內含有複雜的賀爾蒙，不易為身體所利用，而且容易產生過敏體質。

特別是現在的蛋，與以前的蛋不一樣。以前一隻雞生一顆蛋大概要兩、三天，現在不用了，現在每天都生蛋呢！現在養殖場的雞，一輩子就為了生蛋；而且這段時間裡，牠們祖孫三代全都擠三層籠裡面。

一位哺乳的母親，她的攝食及心情會影響腹裡的孩子。如果這段時間，她充滿憤怒、悲傷、恐懼及焦慮，這時候孩子吸收進去的養分，也會受到這樣心情的感受。

所以你知道，這些雞在很壓抑的環境所產生的蛋，吃了以後，你的心情自然也會變得憂鬱、焦慮、恐懼及容易憤怒。

我在美國的一個門診案例，有位9歲的小朋友，全身發癢，抓得幾乎找不到一塊好的皮膚，我告訴他：「小朋友，不要吃魚、肉、蛋、奶哦！」他說：「醫生叔叔，我每天都要吃三個蛋耶！」結果他一不吃蛋和奶，皮膚發癢的症狀馬上好了。

孕婦在懷孕的過程，如有攝取過多的蛋，容易造成未來小孩會有很嚴重的過敏的體質，我在臨床上有很多的案例，其實這些都不是皮膚的問題，而是體內毒素太多，藉著皮膚的管道排出來罷了！

奶

包含所有乳製品，如優酪乳、牛奶、鮮奶和奶粉。我這樣說，可能會得罪許多人。但為了大家的健康著想，為了我們下一代幼苗的體魄，為了全世界人類的和平，我必須說，如果你吃越多的乳製品，你的體質就越酸，罹患各種文明病的可能性就越大。

我們常聽到，包括醫生都會說，要多喝牛奶，預防骨質疏鬆症。其實你應該問問醫生，為什麼喝牛奶，會減少骨質流失？我想一般的醫生都會說，因為牛奶裡面有鈣呀！其實這是嚴重的錯誤。

我們攝食的牛奶，裡面含的鈣會被我們所吸收嗎？不！因為現今的牛奶都經過巴斯德殺菌，所含之鈣，已是無機鈣了，不但身體吸收無益，還可能為未來體內結石製造機會。然而牛奶中除了鈣之外，還有豐富的蛋白質，當這些蛋白質在我們體內分解的時候，會產生一種「氨素」，是一種強酸，身體為了自動調節酸鹼平衡，不得不將身體儲存骨本中，鹼性的「鈣」溶出來作為平

衡，所以你根本還沒吸收到牛奶的鈣，你已經把原儲存的鈣消耗掉了，這是多麼得不償失。

所以在美國、英國、芬蘭、瑞典等國家，是全世界乳製品消耗量最大的地區，但是它們的婦女也是罹患骨質疏鬆症最嚴重的地區。非洲和中國大陸內地有許多婦女，從來沒喝過牛奶，也從來沒有骨質疏鬆症呀。

我們從小接受營養學的觀念，魚、肉、蛋、奶擁有豐富的蛋白質，所以我們要攝取，身體才會強健。可是我們可以追踪，從1960 年開始推廣的營養觀念到現在，所有天天吃大量魚、肉、蛋、奶的人，是否得到很豐富的營養？不是，而是得到很殘弱的體質，其實是外強中乾。

現在的小孩就是吃大量的魚、肉、蛋、奶，以至經常生病。據調查統計，在台灣三個孩子有呼吸系統的毛病，9 個有一個是氣喘兒。有一次我妹妹的兒子，只有 6 個月大的女嬰，有很嚴重的過敏，我就告訴她把小孩的牛奶停掉，一停掉馬上好一半。各位可以去問問糖尿病、心臟病、癌症的病患在他們過去的飲食中，哪一個是缺魚肉蛋奶的！相反的，它們都吃了太多的魚肉蛋奶！

當然我也推薦好的乳製品，如羊奶，因為它較牛奶接近母奶的成分，可是我說的羊奶，指的可不是一般市售的羊奶，如果你要喝奶，請你自己養一頭牛或羊。就像印度甘地一樣，雖然食物攝取不多，但是因為喝羊奶，身體非常好、耐力非常強。

那些市售的乳製品，由於運輸上的方便，用巴斯德殺菌。而在殺菌的過程，乳製品裡面重要的營養就這樣流失掉了，留下來的無非是精緻、濃縮，而讓身體很難吸收及負荷的食物。

其實，我們的身體根本不容易缺鈣（只要照著健康排毒餐吃，各種營養一定均衡而充足），不是鈣不足，而是蛋白質攝取

太多！只要減少蛋白質的攝取，鈣是夠的（有關牛奶部分進一步的說明，請看附錄㈠）。

油

我們都知道，油脂攝取過高的話，我們的動脈就很容易硬化，一旦硬化以後血管失去彈性，尤其加上血脂肪的累積，那麼血液的流通就會減緩，而營養以及氧氣就沒辦法送達全身。

目前市售的油當中，我想最好的大概只有橄欖油了，但一定要是冷壓的橄欖油。千萬不可吃一般對身體不好的油，特別在烹調時，不要選擇油炒、油炸，如果非吃不可，切記不得高溫處理。

為什麼不要選擇油炒、油炸呢？因為我們的腎、肝、心臟都怕油，所以如果油在我們的身體，需要 4 至 8 小時才能消化掉，特別是如果肉用油炒或油炸，就需要至少 8 至 12 小時才能消化掉。由此可知，油對身體造成多麼大的負擔。

可是吃油會比較有飽的感覺，其實那不是飽，而是油在你的身體內根本沒處理掉、消化掉。所以如果你照這套健康排毒餐來吃，你很快就感覺餓，因為它消化很快，沒有增加你身體的負擔，那麼你就有過多的能量，去處理你身體其他的需要。

鹽

我們發現鈉含量越高的時候，鉀含量就相對降低，而這時候你身體的機能，會嚴重的酸化，容易造成細胞癌化，正是為癌細胞創造了美好發展的條件。因此心臟病、腎臟病及癌症病人特別切忌用鹽。

包括，醬油、精鹽、味精等都含有高度的鈉成分，是不建議您攝取的。但如果你非吃鹽不可，則建議竹鹽是較為妥當的。更

好的是從天然的食物攝取鹹味，例如番茄、西洋芹、海藻、海帶、紫菜等均是。

糖

我這裡特別強調的是，精製的糖。因為我們的身體要消化糖，必須把體內的鈣及維生素B群釋放出來，所以你會發現吃完這些含糖的食物，身體會感覺特別的累。想想，為了滿足口中的甜味，而犧牲掉了體內的鈣和B群，值得嗎？

食品中如可樂、汽水飲料等，就含有豐富的糖，攝取過多，會造成血液濃度增加，會有不切實際的幻想、精力降低。

最適合我們攝取的糖，在天然的食物中是最好的，例如西瓜、香蕉等水果。但是如果你非吃糖不可，你可以吃紅糖。

味精

我建議完全不吃味精，我們都有一些經驗，當我所吃食物裡，含有大量的味精，我們會感覺口乾舌燥。

經常攝取味精的人，除了較容易掉頭髮之外，在美國就發現，到中國餐館吃完餐後，很容易頭暈、注意力不集中、容易疲倦，他們又稱之為中國餐館症候群。

醬油

醬油含有高度的鈉，尤其影響血壓的狀況。

所有精製與加工食品

有可樂、汽水、果汁、餅乾、罐頭、泡麵……等等精製加工食品，包括白米和白麵包。

如果你把白米放在水中數天，它就會腐爛掉，但是糙米卻會

發芽。<u>因為一個有生命，一個沒有生命，所以你吃進去白米就等</u><u>於吃進只有熱量而無任何營養且無能量的沉重負荷。</u>

<u>所以精製與加工的食品請你儘量不要吃</u>，特別是你在調整體質的階段，好不容易調整了一個月，你吃了一頓精製與加工的食品，就可能前功盡棄。

含咖啡因之食品

也是儘量不要吃含咖啡因之食品，如咖啡，會對你好的神經系統大有影響。

酒精類、冰品類

同樣的儘量不要吃酒精類、冰品類的食品，特別是你在調整體質的階段。

我們發現許多女孩在經期的時候，特別的痛，那就是吃太多的冰品，尤其像冰淇淋、剉冰等很容易傷腎。

所以在我們每天要吃的<u>蔬菜、水果，</u>在前一天晚上<u>先從冰箱</u><u>取出放置</u>，那麼第二天吃的時候<u>就不會冰了</u>。

◎結 論

有很多朋友問到我說，如果他們在一開始就沒辦法完全依照我介紹的這套排毒餐的方式進食，是不是可以以漸進的方式逐步逐步的來攝取。當然是可以的，我們發現有些朋友，在他的三餐裡，只有約 50%～75% 的比例照這方式進食，就已經產生很好的效果，何況是 100% 呢！

當然如果你只可以 50% 依照這份健康排毒餐，那麼請你記住以上 12 種忌食的食品，儘可能不要吃。例如，許多人經常將咖啡作為提神用，這是非常危險的，因為對咖啡的依賴性，長久以

後可能對中樞神經系統及自律神經系統都會受到影響。

　　這套健康排毒餐除了排毒之外，還可以輕易的達到瘦身的效果。譬如說，一個朋友，他原來有 106 公斤，結果他食用了這套的健康排毒餐，在短短的兩個月內，就已經瘦了 18 公斤，而且在這段時間裡，沒有出現心悸、噁心、失眠、便秘、不舒適的感覺。其實他排掉的那 18 公斤裡面，大部分都是毒素。

　　根據美國的自然醫學界的研究，我們體內的毒素最少有 10 磅到 25 磅之間，所以開始吃健康排毒餐，排掉的大部分都是毒素，而不是脂肪。故很多人吃了以後，都有無毒一身輕的感覺。另外，特別像是紅斑性狼瘡的病患，我們都知道紅斑性狼瘡是令人頭痛的疾病，但如果吃了這套健康排毒餐，他體內的毒素被排掉以後，他的症狀自然就減輕了，而且使用藥物的注射量也大幅度的降低了。

　　這套健康排毒餐，是經過多年的臨床研究，及我們前面章節所介紹的所有健康飲食觀念而成的。如果能 100%力行效果是最好，如果實在不能在一開始就完全100%的食用，就從30%開始，進而 50%，最終達到 100%。這段時間大約需要 6 個月到 12 個月的時間，養成健康的攝食習慣。然而如果你有嚴重的病症，你需要與時間賽跑，那麼你務必「立即」、「確實」地 100%的進行。

健康排毒餐

一、 排毒早餐：水果（1）＋蔬菜（2）＋地瓜＋米飯	
1. 一種水果	選果原則：以當地、當季、盛產之水果為原則，凡是進口水果與非當季之冷藏品均不宜。 ※慢性病患所食水果，需經專業人員一一檢視過，方
2. 二種蔬菜	選菜原則：以根、莖、花、果四大類為主，凡是芽菜類與葉菜類暫時不宜。 舉例： 根－紅蘿蔔、白蘿蔔、山藥、牛蒡……等。 莖－西洋芹、明日葉……等。 花－花椰菜（綠）、包心菜……等。 果－小黃瓜、苦瓜、青椒、蕃茄……等。 ※為安全與最佳效果考量，凡是慢性病患所食蔬菜，需經專業人員檢測過，方可食用。 ※水果與蔬菜均需生食，完整地攝食（連皮吃）。
3. 地瓜（黃比紅適合）或稱蕃薯	慢性病患吃兩份，一般保健者吃一份，均要蒸後（冬天可用烤的）連皮食用。若居住地無生產地瓜，則以馬鈴薯代替，蒸後連皮食用。
4. 糙米一份	可在糙米中添加少量薏仁、小紅豆、紅棗、蓮子、枸杞子等未經精製加工的五穀雜糧，若居住溫、寒帶，則可另加大小燕、蕎麥在米中。 ※ 蔬果雜糧均需選擇無農藥，不用化肥栽種的農作物，否則會影響效果。若對所購食物無把握，可事先以臭氧產生量，每小時達200mg以上之蔬果解毒機處理，較為安全。
二、午、晚餐的大原則	
50%~60%	五穀雜糧
25%~30%	蔬菜類。 無論早、中、晚餐，所食蔬菜，儘可能保持至少1/2到3/4的生食，方能確保你有食入足夠的酵素，利用食物的分解、消化和吸收，否則您需在三餐飯前多補充植物綜合酵素，才有最佳效果。
10%~15%	豆類和海藻類（癌症患者或尿酸過高與腎臟病患，則儘量不吃豆等蛋白質類）。

5%~10%	湯（可用海帶、紫菜……等蔬菜），請多吃海帶或昆布，可有效消除身體所受輻射，並可保持血液最佳弱鹼性，但要注意海洋污染嚴重，已影響海帶、昆布品質，若無把握食物之安全性，可另購活性昆布粉使用。

水果在兩餐之間吃

三、「排毒早餐」服用的最佳時間：

慢性病患：	早上 06：30~07：00 之間。
一般保健：	早上 06：30~07：30 之間。

四、配合正確的睡眠時間，排毒餐效果更好。

慢性病患：	晚上 9 時就寢。
一般保健：	晚上 11 時前就寢，9 時後儘量處於休息狀態。

五、調整體質時間，忌食物品如下：

1. 魚（含海鮮）
2. 肉
3. 蛋（含蛋糕）
4. 奶（含所有乳製品，如優酪乳、奶油、牛奶）
5. 油
6. 鹽
7. 白砂糖（含一切有砂糖的製品，如巧克力、汽水等）
8. 味精
9. 醬油
10. 所有精製與加工食品，如可樂、汽水、果汁、餅乾、罐頭、泡麵……。
11. 含咖啡因之食品（如咖啡）
12. 酒精類、冰品類

※ 若病體已康復，則飲食調味可改為低油（冷壓之橄欖油）、低鹽（竹鹽）、低糖（蜂蜜等），當然最好是吃食物原味。

六、若欲強化效果，則可同時進行【14 天強化排毒計劃】

方法如下：
第一週：每一小時一匙（滿匙）植物綜合酵素，一天 16 匙（睡時不吃）。
第二週：每二小時一匙（滿匙）植物綜合酵素，一天 8 匙（睡時不吃）。
第三週以後，三餐飯後二匙（滿匙）植物綜合酵素。

七、每天應生飲好水（如以琳元氣水）3,000c.c.以上（這一點特別重要）。

175

好水的條件：
a.pH 值為弱鹼性。
b.保留原礦物質。
c.乾淨無雜質（無氯、無重金屬）。
d.符合生飲標準，不需煮沸，即可食用。
e.含氧量高。

八、特別注意

部分人服用「排毒早餐」後會有好轉反應，這是很好的現象，請繼續服用。
好轉反應現象列舉：

1. 頭痛、虛弱、感到不舒服、皮膚敏感、大便緩慢、拉肚子、多尿、疲倦、不想動、神經緊張、易怒、消極或憂鬱、發燒或其他類似感冒的症狀。
2. 如有的宿疾，被藥物壓制未真痊癒的，會發出來。如有高血壓者，高血壓可能暫時更高；有糖尿病者，血糖可能更高，（不用擔心，這是好現象）。

無論如何，大多數人會發覺這些反應是可以忍受的，而且你要很高興，因為對你特別有效。在好轉反應時，要多休息、多睡覺、多喝水或多吃植物綜合酵素，症狀就會減輕。

九、每天所攝取之食物纖維，至少應達 30~35g 以上排毒效果才會明顯，所選食物之纖維素若不足，請另行增補植物種子纖維營養素。

十、就從今天開始，練習每一口食物咬三十下，保證你不會發胖，也不會得老人痴呆症、頭腦靈活、身手矯健。

胸腺日按二百下，
健康活到一百上。

洪國財　40 歲　（新加坡）

◎ 從淋巴瘤、肝腫瘤癌症中活過來

　　我是在 2000 年 5 月份發現頸部右邊有一粒 3cm 大的淋巴瘤。經醫生 3 個月檢查後從我的鼻肉抽取肉樣本化驗，證實我得鼻咽癌。醫生建議我做 40 次放射治療，每天 1 次從 9 月份～11 月份完成，在治療的過程副作用非常多，如：經常會口乾，沒有唾液，牙齦疼痛，聽覺不清和耳鳴，須動手術放小管子在耳朵內讓聚水流出來。

　　但在 2001 年 6 月初，我的骨頭和肩膀、盆骨都有酸痛問題，醫生和我都以為是運動後造成的疼痛，直到 7 月份醫生做 X 光掃瞄，天啊！原來癌細胞已擴散到骨頭和肝，醫生建議須馬上做化療來控制細胞擴大，共需 8 個療程，醫生還告訴我們有 80%～90% 可控制癌細胞，當時我與家人都沒有關於癌症的知識，如果當時有聽一些講座，我一定不做化療。這化療的程序大約從 7 月份～12 月份完成，醫生告訴我們癌細胞已控制了，過後每 1 個月去做複診、驗血，4 個月後做 X 光掃瞄，又發現肝有新的腫瘤、骨頭尚有些新的黑點，這次醫生再建議我做化療，我已非常失望，我問醫生成功率有多少，她說只有 10%～20%，我告訴她第一次做化療時成功率有 80%～90%，為何在短短的 4 個月內又有擴散的事呢？現只有 10%～20% 也沒保證能控制，為什麼我要做呢？她回答我只是幫我延長壽命與減輕疼痛作用而已。我當時聽了非常生氣，原來醫生的任務只為了她們能不能用此藥來控制什麼癌症，把我們當白老鼠一般的實驗，不管我們死活。我當場拒絕了，可是我不知該怎麼辦，知道身上有癌細胞又沒辦法抗癌，正值苦惱又焦急中，無意中聽到比利在廣播中有位抗癌全方林教授將來新加坡的消息，我馬上打電

話與癌症之家義工聯絡，他們叫我寫下病例傳真。後來我 6 月 9 日上了林教授的講座後，從 6 月 11 日開始吃排毒餐，約 1 個月後人開始覺得累、發燒，體重下降 3kgs，7 月 15 日林教授幫我檢查說我的狀況很好，排毒餐照吃，另吃三寶排毒，約 7 月 20 日開始吃，大約 8 月 1 日開始至今我的背、腰、腹部都有抽痛、酸痛、全身無力、發燒約 38℃ 以上、體重下降 7kgs。

我 8 月份抽痛時，無法得到解決方法，約 2 星期之久到醫院做複診。醫生給我 X 光掃瞄，發現我的肝腫瘤已越來越大，已不能再等了，她要我做化療。當時剛好比利到我家拜訪，我把病情告訴比利，比利叫我一定要堅持下去，待林教授來複診後才做決定，是不是裡面好與壞細胞在作戰，我想請問林教授我現該如何以最快的方法來控制癌細胞擴散與擴大，我相信我的癌細胞可能比別人來得比較強。不知是不是我的排毒餐做得不足夠呢！

我在此非常感激林教授從百忙中抽空到新加坡講課與義診，如沒有您的出現，也沒有我們的勇敢面對的勇氣。您是我們比化療針還要來得好的一支強心劑，讓我從可怕的癌症邊緣，走回有活力又輕鬆的抗癌者，我很喜歡參加林教授的講座。我也在此感謝比利一直那麼關心與照顧我們，也謝謝癌症之家，以及其他工作人員的協助。

第七章

健康選食的原則

　　健康選食有十二項原則。第一個就是五穀類；第二是結種子的蔬菜；第三是有核的果子；第四是當地的食物；第五是當季（盛產）的食物；第六是成熟的食物；第七是完整（連皮）食用；第八是熟食以水煮爲主，忌油炸；第九是部分生食；第十是禁食（斷食）；第十一是去三害；第十二是肉食的問題。

高秀莉　46歲　（新加坡）

◎ **精彩的講座，欲罷不能**

◆ 相逢恨晚；講座太精彩，收穫豐富。意猶未盡，我們非常希望能常聽講座，欲罷不能。

◆ 比利的離開，我們非常失落。希望比利能與林教授一樣，常常來星主持講座，幫助需要的病友。謝謝。衷心祝福比利健康長壽。

Mandy Wvng Sien Mcl　54歲　（新加坡）

◎ **除了感謝，還是感謝**

◆ 林教授的講座非常有意義，從中學到很多知識，使我更加愛惜自己的生命及健康。

◆ 除了感謝，還是感謝，謝謝。

一、首重五穀

「我（上帝）供給五穀和各種果子作你們的食物。」

（創世記第 1 章第 29 節）

在臨床上我們經常發現現代人的消化系統都很糟，台灣健保局統計，醫院門診中 80%是看腸胃科。而脾胃的不良正是醞釀慢性病最好的溫床。吃進來的多，出去的少，久而久之，你的身體就成了超級垃圾場，惡臭沖天，能不生大病嗎？那為什麼現代人的脾胃功能會失調呢？原因就是「錯把副食當主食，薯條炸雞糖水汁，蔬果不足穀不吃，米麵精緻脾胃虛」。

◎ 五穀類營養齊全

181

為什麼要攝取全穀類呢？舉凡對人體最重要的營養素在未加工的五穀雜糧中都很豐富。最近幾年來，生活較富足地區人民都一一被腸胃癌盯上，最重要的原因就是吃太多精緻加工的食品，這些食品嚴重缺乏礦物質、維生素和腸癌剋星的纖維素。為什麼我們需要攝取纖維質，吃纖維食物的好處有預防便秘、緩解腹瀉、預防大腸直腸癌的發生等。纖維食物還可延緩胃的排空，增加飽足感，且熱量極低，有利體重控制。此外，有利於糖尿病病情控制，可減少膽固醇、三酸甘油酯的吸收、增加食品的風味和質地、減少蛀牙的形成。

纖維質統稱膳食纖維。這是一種存在於植物細胞壁和細胞質之間的多醣類，如半纖維素、果膠質等，無法被人體消化道內的酵素所分解，也不能產生熱量提供人體所需。

纖維質包括水溶性纖維質及非水溶性纖維質兩種，水溶性纖

維質可以減緩血糖上升，及降低血膽固醇，主要的食物來源有燕麥、糙米、大麥、豆類、蔬菜、水果。非水溶性纖維質，可以軟化糞便，預防便秘，主要來源有小麥麩、全麥麵包、穀類及蔬菜。我這裡所說的五穀，是原穀類沒有經過精製處理的。像白米、白麵粉都是經過精製處理的，那就不行。

那麼有哪些是適合的五穀類呢？例如：糙米、玉米、大豆、薏仁等，都是有益我們身體的五穀類。當你吃這些東西的時候，你會發現身體非常舒暢。

中醫說「五穀最養脾，天生萬物，獨厚五穀」。這就是為什麼五穀在我們的飲食中，是占最重要的角色，原因是五穀對我們的脾臟很重要。穀類的食物是我們提到的中性食物，五穀要選沒有精製過的，生長在長江以南的穀類食物，如糙米、小米、紅米；生長在長江以北的就有大麥、小麥、燕麥、蕎麥等產物。

所有的食物進入體內後，是經過脾胃的運化，然後才能被人體所吸收，所以也就是說脾胃是人體很重要的加工廠。不幸的是，現代人的脾胃普遍不好，所以食物進入體內後，無法達成完整的吸收。就像是，你衣服的口袋有個破洞，你放入再多的黃金，也留不住，都會從袋子掉出來，而且一次放入的越多，洞破得越大。

在非洲大陸和較貧窮的中國內地農村，幾乎沒有腸癌的發生，而在美國、歐洲、台灣和中國沿海地區，直腸癌卻相當普遍。原因就在於前者地區居民每天都吃進 50 克以上的纖維，但後者地區居民精緻追求口感的飲食中所含的纖維素連一半都不到。

其他含豐富植物纖維者，在糧食中有高粱、玉米、小米、蕎麥、薯類；在豆類中有大豆、紅豆、綠豆、豌豆、扁豆、菜豆、青豆、土豆、毛豆；在根莖類中有洋蔥、涼薯、紅蘿蔔；在蔬菜

中有韭菜、雪裡紅、空心菜、油菜、莧菜、豆芽菜、大小白菜、萵苣、蘿蔔；在瓜類中有茄子、青椒、絲瓜等。

我們如何攝取適合我們的穀類呢？由於台灣處長江以南，所以適合我們食用的，當然是要產在長江以南的穀類，如糙米、小米、紅米等。而生長江以北的穀類，它們並不適合我們食用。

小米又名「粟」。明代李時珍《本草綱目》記載「粟米氣味鹹，微寒無毒，主治養賢氣，去脾胃中熱。益氣，陳者苦寒，治胃熱消渴，利小便」，其營養價值高，單位熱量、蛋白質及脂肪，含量均高於小麥粉及稻米，鈣、鐵、磷、胡蘿蔔素，含纖維素 8.6%則僅低於燕麥接近糙米。

◎ 吃纖維預防腸癌

在臨床上我們看到腸癌清一色都發生在愛吃肉、不吃粗糧的人身上。因為肉和精緻加工食品中幾乎完全沒有纖維素。纖維素雖在體內不被吸收，但它有比被身體吸收更重要的功能：

1. 纖維可促進腸的蠕動，縮短消化物經過腸的時間。

2. 纖維可幫助大腸稀釋隨飲食進入的亞硝胺、多環芳烴等致癌物。

3. 有些纖維還可吸附致癌物質，隨糞便一起排出。

4. 纖維能吸附或結合氨、膽汁酸等多種有害物質，並能增加糞固醇與脂類的排出，這些物質都是導致直腸癌、結腸癌發生的要素。

5. 多吃粗糧中的纖維讓你有飽足感，吃得多又不會胖。

每餐一定都要吃五穀雜糧，而且它的比例，最好占總攝入飲食的 50%～60%。很可惜的是，現在我們所食用的米飯是經過精製而成的，只剩下熱量，幾乎沒什麼營養。像糖尿病患者多半都缺乏維生素 B_6 及礦物質鎂，而糙米就擁有豐富的維生素群及鎂。

常吃五穀的人，性格也較為平和。

糙米的營養遠勝於精緻白米，如糙米的鈣是白米的 1.7 倍，鐵則是 2.75 倍，菸鹼素是 3.2 倍，維生素 B_1 則高達 12 倍。糙米中的維生素 E 是白米的 10 倍，纖維素則高達 14 倍。從以上數據您不難發現，現代人為何吃白米吃出全身病來。

所有的穀類都是由植物最精華的種子所組合的，而種子都帶有胚芽，富含旺盛生命力；試想一顆小小的種子就可發成枝繁葉茂的植物，其生命力可想而知。而且植物種子可以長久保存，而不易變質，例如蓮子能保存 2000 年以上仍然活著。總而言之，種子們是人體所需各種營養的寶庫。

張秀蘭　59 歲　（中國大陸）

◎ 腫瘤明顯消除了

94 年做乳癌手術。2002 年 6 月 28 日經林教授指導，接受食療，認真吃排毒餐。一個月前除沒有腫瘤反應外，肝、腎、脾都不好，現經一個月，效果明顯，完全轉變。體重由 136 斤減至 124 斤。睡眠明顯好，排便非常順暢。

二、結種子的蔬菜

「神說，看哪！我將遍地上一切結種子的菜蔬，和一切樹上
所結有核的果子，全賜給你們作食物。」

（創世記第 1 章第 29 節和合本）

　　蔬菜是我們日常生活中不可或缺的食物，尤其是我們現今的
膳食，一般含有大量的蛋白質、脂肪、糖及味精或鹽，而只有少
量的膳食纖維、維生素及礦物質。因此我們要藉由蔬菜攝取其他
營養。蔬菜含有豐富的β-胡蘿蔔素、葉酸、維生素 C、維生素 E
及膳食纖維。如果膳食中沒有蔬菜，我們便缺乏這些維生素及膳
食纖維。它們能幫助我們的身體免受感染及抵抗疾病。

　　每天吃足夠的蔬菜能幫助我們攝取足夠的營養素，保持身體
健康及有助減低身體感染細菌及疾病的機會。據報載，美國醫學
家安妮·威格莫爾在身患癌症幾乎絕望中，堅持一日三餐吃生
菜，一連數年不間斷，結果在不吃藥、不化療之下，治癒了癌
症，而後又活了 20 多年，此後她更幫助了成千上萬的癌症病患
找回了健康。以下列舉幾種最適合平日食用的蔬菜及其功效。

綠豆芽——清熱、利尿、消腫。

黃豆芽——健脾、利尿、通便。

冬瓜（連皮）——利水化痰、消暑解渴。

黃瓜（連皮）——消熱、利尿、解毒。

番茄（西紅柿）——平肝、清熱、解毒。

紫菜（不加鹽的）——治胃潰瘍、婦女更年期症候群。

苦瓜——利水、消腫、清心解熱。

辣椒——促進胃液分泌，增進食慾。

　　我在臨床上試過，以上幾種所有病人都可吃，至於茄子、扁豆、麥草葉菜和苜蓿芽就須看個人體質而異了。

　　根據美國邁阿密市佛羅里達國際大學化學系藍壯（Landrum）教授研究發現：在以菠菜、黃瓜、青椒、蒜苔等綠色主線的果蔬中富含「葉酸」；在黃杏、柿子、玉米、南瓜、蘋果、哈密瓜中含玉米質和黃體素較多。

　　葉酸、黃體素、玉米質及維他命 C、E 等氧化營養素，可防禦機體細胞膜遭氧化破壞，並可及時清除體內「氧自由基」等代謝廢物垃圾；防範或減少由於內臟沉積「褐脂素」而導致臟器的「退行性老化」。

◎ 蔬菜的種類

　　蔬菜的種類是根據所食用的植物部分而分類，大致可分為下列各類：

1. 葉菜類

　　大部分的綠色葉菜含有極豐富的β-胡蘿蔔素、維生素 C、鈣質、大量膳食纖維及葉酸。菠菜及西洋菜更含有豐富的鐵質。

2. 花、芽及莖類

　　這類蔬菜含豐富的維生素 C、鈣質、鉀及膳食纖維。莖類如，西洋芹、明日葉……等，特別是高山上的明日葉較好。花類如，花椰菜（綠）、包心菜……等，花椰菜在美國又稱抗癌之王。

3. 種籽及豆莢類

　　種籽及豆莢類含有大量的蛋白質、碳水化合物、維生素 B

群、鈣質膳食纖維。

4. 瓜果類

瓜果類蔬菜含有大量的水分，因此熱量相對較低。部分的瓜果類蔬菜含有豐富的維生素 C 及 β-胡蘿蔔素。小黃瓜、苦瓜、青椒、大蕃茄……等。

5. 根莖、球莖及塊莖類

它們含有豐富的澱粉質及膳食纖維。紅蘿蔔、白蘿蔔、山藥、牛蒡……等。

6. 菌藻類

菌藻類蔬菜含有豐富的膳食纖維、礦物質及抗氧化劑。菇類蔬菜含有頗多的蛋白質及維生素 B 群、銅及其他礦物質；海帶、紫菜、髮菜及雲耳含有大量的鈣質。

7. 堅果及乾豆類

堅果及乾豆類含有豐富的蛋白質，亦含有頗多脂肪、碳水化合及維生素 B 群（核醣黃素除外）。

最後，特別提醒您，超級市場出售的外表漂亮的蔬果，大多是在無菌溫室內栽培的，常吃這些蔬果的孩子，長大後可能較易患癌症。因為，當蔬果遭遇病毒侵襲時會產生一種抗體，人類食後就能得到相同的抗癌效力，而溫室栽培的蔬果就沒有這種效力。所以，外表布滿黑點看起來髒髒的蔬果非不健康，反而對健康有益。

三、有核的水果

「園中各樣樹上的果子，你可以隨意吃。」

（創世記第 2 章第 16 節和合本）

　　無子的果子，在現代科技進步下，有越來越多的趨勢，而且有越來越多的人喜愛。例如，無子西瓜、無子葡萄、無子芭樂等等，現代人發現他好吃又方便，於是不管它價格是否昂貴，一樣深受大家的喜愛。但是不管他們到底有多麼好吃，它們是沒有能量的食物，因為它們根本毫無生命可言。

　　人的生命在血裡面，而果子的生命在種子裡面，而沒有種子的果子，就好像是，馬是有生命的，驢也是有生命的，但是兩個相配種所生的騾，就是無法繁衍下一代的例子。而且這個也是違反聖經的原則。

　　我們都知道，沒有能量的食物，對我們的健康是有害的。因此我們再選擇食物的時候，一定要選擇有子、有核的果子。在聖經裡面，就很清楚的記載著，有核的果子是上帝賜給我們美妙的食物。

　　而新鮮水果富含維生素和礦物質，尤其是維生素 A、C，還有纖維素、天然糖分以及水。新鮮的水果和蔬菜是維生素和礦物質的豐富來源，不但味道鮮美，營養豐富，而且極其容易消化、吸收。尤其打成果汁飲用，半小時就能完全被身體所消化吸收。而一般情況卻最少要五個小時（在胃停留 2 小時，小腸 3 小時）才能被血液吸收，但要注意⑴打成果汁後，要立即飲用，否則會氧化，影響功效；⑵一定要連渣一起吃。

四、當地出產

「無論進哪一城，人若接待你們，給你們擺上什麼，你們就吃什麼。」

（路加福音第 10 章第 8 節和合本）

很多人說，我有吃五穀類，也有吃水果及蔬菜，但爲什麼身體還是不好？因爲你吃的食物，都不是當地出產的。

什麼叫做當地的食物呢！指的是同一緯度或泛指同一個氣候帶的意思。這就是所謂的「一方水土，養一方人」。

在滿淸末年、二次世界大戰、1949 年國共內戰，這三個階段裡面，有許多的人因爲戰亂逃亡，而離開出生地，開始另一段生活。例如，許多的人從中國大陸逃到東南亞去，由於還是依照原本的飲食習慣，於是許多人就開始生病。

我們在做邊疆醫療工作的時候，一開始會帶一些藥物去，但後來我們發現那些藥物對當地人反而造成負擔及副作用，結果最好的藥竟是當地生產的植物，尤其是草本的植物。於是我們便經常利用草本的植物醫治當地人所罹患的疾病。這是個原則，是放諸四海而皆準的。

本單元我們所要敍述的就是，地區不同，攝取的飲食也要不同的道理。例如寒冷地區所出產的食物，及溫帶地區所出產的食物，對熱帶人們身體的體質就有顯著的不適反應。

WTO 後各國的各種水果將引進國內，我們隨處可見的榴槤、紅毛丹、山竹，這些生長在東南亞熱帶地區的食品，事實上並不適合食用。就好像台灣的蘋果，雖然沒有進口的蘋果大又漂亮（小心哦，可能有很多農藥哦！），但卻是高能量。所以我常

189

說，好吃的東西常常不營養，營養的東西常常不好吃。

像奇異果，又叫獼猴桃，雖然是進口的，但是最早是生長在中國嶺南的水果，台灣跟嶺南是相同的氣候帶，所以非常適合我們吃。加上它是深綠色的食物，對肝臟特別好。

馬鈴薯是生長在台灣中部的食物，所以只有適合中部的人食用，北部與南部的人並不適合。香蕉、荔枝、芒果與蓮霧則越是台灣南部的人吃越好，地居北部的人就較不適合了。

另外，如果我們當地有，但品種不同的食物可以攝取嗎？可以的！例如，芹菜，由於我們本土有產芹菜，因此國外進口的西洋芹也可以吃。

由於台灣地區所處的位置在長江以南，所以適合我們食用的當然是要產在長江以南的穀物，如玉米、糙米、小米和紅米等。而生長在長江以北的穀物如燕麥、蕎麥、大麥、小麥和高粱，由於我們居住地理位置的關係，並不適合我們食用。

創世記第一章講到，以色列人進迦南後，就食用迦南的食物，並沒有把埃及的食物帶出來，如果他們繼續吃埃及的食物，他們一定會生很重的病。

又如新加坡本地農產品較少，多數為進口的物資。在選擇上應以馬來西亞、泰國和印尼等同一個氣候帶為主。在市場上我看到三種黃瓜，其中兩種細細小小，價格還貴得驚人。經多次臨床測定但不適合新加坡人食用，因產地是日本！而另一種黃瓜含極高的能量，價格卻只有日本黃瓜的 1/5，新加坡朋友告訴我，那是本地產的！難怪！朋友們都說，運用這套飲食法省時（因大部分蔬菜要生食，煮菜時間少了），省錢（因不買進口品，本地的當然價廉），省心思（因為飲食結構以粗糧為主，而且結構明確，不花太多腦筋在吃食上）試試看吧！改變飲食，可能改變你的一生。

五、當季（盛產）

以前所有的農產品，都依不同的季節種植及採收，因此你只可以在當季吃到當季收成的農作物。但現在我們一年四季都可以看到像西瓜、蘋果、梨子等等的蔬果。其實，西瓜真正的盛產季節是在夏季，所以我們在其他季節所吃到的西瓜，除了是過季的還可能是冷凍過的食物，食用後對我們的幫助並不大。

食物的生長是有一定的定律，它會隨著一年四季的變化而收成，都有不同的食物。例如我們都知道稻米是，春生、夏耘、秋收、冬藏。所以我們照著食物的節奏與定律攝取，才是符合人體的自然韻律。

桶 柑	1 月初到 3 月底
楊 桃	1 月初到 3 月底（另一產期為前面提及的 5 月初到 12 月中）
釋 迦	1 月初到 2 月初、7 月初到 9 月初、11 月中到 12 月中三個產期。
枇 杷	2 月底到 5 月初
草 莓	2 月初到 4 月中
柿 子	7 月初到 11 月中
芒 果	4 月中〜7 月底
蓮 霧	4 月中〜6 月底
西 瓜	4 月中〜7 月中（紅肉西瓜較好）
荔 枝	5 月初〜6 月底
百香果	5 月底〜7 月中
水 梨	5 月初〜7 月中
桃 子	5 月初〜8 月中
楊 桃	5 月初〜12 月中
龍 眼	7 月初
柳 橙	12 月到翌年 3 月：

那如何判斷什麼是當季盛產的呢？簡單的說，在市場上賣的量最豐富，價格最便宜的，就是當季盛產的了。如果價格較貴，則不會是當季的食物，或者是根本就是外地進口的蔬果。

在此我為各位介紹，在美麗的寶島台灣依照不同節令，四季盛產的水果類別，請您參考選用。

其他全年生產的水果則有：香蕉、鳳梨、木瓜、番石榴、番茄；也就是說，全年都可以買得到、吃得到，但風味最佳、營養最好的還是盛產期出產的水果；所以，吃鳳梨3月底到7月初最好、吃香蕉3月底到9月初最好、吃木瓜8月初到11月中最好。再提醒一次，攝食除了要符合當季外，還要當地。例如，芒果、龍眼、荔枝、蓮霧和芒果等水果都是南部的產物，居住北部的人則不適合。

我們發現有趣的現象，可以印證自然的法則。入秋是白色食物盛產的季節，由於在入秋的氣候中容易引起肺的毛病，有一種特別潤肺的水果，就是水梨，其盛產的季節，剛好是入秋。這就是吃當季盛產果子的好處。如果你在其他季節吃這些食物，自然對身體幫助不大。

選擇當季食物攝食另一個益處就是可充足照顧到身體的五臟六腑，如春天百物生，植物發芽，所以吃綠色食物利於肝，如柑橘。夏天植物多半發紅，所以吃紅色食物利於心，如桃子。到了長夏時，植物呈現黃色，所以黃色的食物較好，如香蕉利於消化系統。入秋白色食物盛產，如白柚、水梨、蓮子、薏仁、蓮藕對肺（呼吸系統）有神效；冬天萬物進入睡眠狀態，所以食物多深色可補腎氣，如茄子。

六、成熟的食物

「你們進了迦南以後，無論栽種哪一類果樹，頭三年的果子要當做不潔淨，你們不可吃。第四年結的果子，要全部奉獻給上帝作祭物，表示你們對我的感恩。到了第五年你們就可以吃果子。你們這樣做，果樹將結出更多果子。我是上主——你們的上帝。」

（利未記第 19 章第 23-25 節）

如果不成熟，你吃了進去，你一定會生病。這不是我說的，這在聖經上觀念中，有很強的表示。

有一次我在中國大陸聽到一個驚人的消息，某官方人員告訴我說，有時候農民所採收的蕃茄並沒有熟，他們就在蕃茄頭頂的那地方，塗上避孕藥粉末，這樣可以在一個晚上的時間，使番茄由綠轉為紅色，而且這樣會讓蕃茄在一個月內都還是保持紅色的色澤。

實際上，果樹是需要經過一定時間才可以採收的，上帝告訴以色列人說，不管他們在進入迦南後，種植任何食物，頭三年不可食用，第四年獻給上帝，到第五年才可以採收食用，而使產量更多更大。因此我們知道吃東西，一定要等到成熟才能吃的道理了。

商人為了讓採收期提早，用的化肥、農藥，根本不符合健康的標準，更違背聖經所說的，結果讓我們吃進身體，造成的傷害更大。

不只是蔬果，還有許多食物都在尚未成熟時就讓我們食用了。像我們食用肉，也為了加速增加產量，便注射大量的賀爾

193

蒙，而且同時亦注射了抗生素，使雞不易生病，如此一來，原本要 9 個月至 1 年才能長大的雞就只需要 21 天即可養成。所以我們所食用的雞肉、雞塊，均含有大量而危害人類的荷爾蒙及抗生素。

我在臨床上常發現，現在許多小女生胸部快速發育，而小男生生殖器官卻長不大，這裡頭有很大的問題是出在他們嗜吃有大量荷爾蒙的肉類食品。下一代孩子的體質是多麼令人擔憂啊！

2000 年 7 月天，在中國大陸西安市的一家醫院裡，一個 3 歲的小女孩，和一個 4 歲的小男孩因身體發育異常，被各自的家長帶到醫院就診。醫生發現，這兩個孩子的生理狀況有異於同齡的兒童：小女孩乳房脹大，下身有流血現象，男孩嘴上則長出了鬍子，嗓音變粗，彷彿到了青春期的少男少女。，經與家長深入交談後發現，這兩個不同的孩子來自不同家庭，但都有同一個嗜好，就是喜歡吃水果。家長認為多吃水果對孩子有好處，只要孩子愛吃，儘量滿足，各種提早上市的水果經常大袋買回家。據分析，這兩個孩子所出現的生理異常與此有關。因為早熟的水果大多是經一些含「荷爾蒙」（生長激素）的藥物催熟的，而食用此類水果有可能導致孩子發育異常。由此事件，您不難發現，食用成熟的食物是多麼重要。

七、完整（連皮）

在我介紹大家飲食的原則當中，有一個經常被大家忽略且錯誤的觀念，就是將食物切割進食。例如，吃紅蘿蔔削皮了吃，蘋果削皮了吃，香蕉剝皮了吃，幾乎我們都把食物中一部分（經常是最主要的部分）的營養給浪費掉了。而正是這樣錯誤的觀念，致使我們的身體容易生病。

其實，食物中最營養的常常是外皮。上帝創造一個很偉大、奇妙的地方在哪裡！各位記得我前面章節所提的食物酸鹼性，對人體健康的重要嗎！因為每一個部分都具有不同的營養價值，要一起使用才會發揮最大效果。

我在這裡希望你們都能食用蔬菜及水果完整的部分，也就是連皮食用，因為大部分的外皮是鹼性，而幾乎所有的果肉都是酸性的。

以柳橙舉例，它最營養的不是外面的皮，也不是裡面的果肉，卻是兩者中間白色的果肉及白色脈絡（鬚鬚）部分尤其入肺，因為白色的食物益肺，所以經常說話的人更應該多吃。但是單獨吃那個白色的部分也是不行的。

此外，柑橘和檸檬中含有一種稱為 limonoid 的物質，發現它在動物試驗中可以對抗乳癌，並且能夠降低膽固醇，過去曾有研究指出另一種 limonene 的物質，具有相似的功效，而檸檬皮與橘子皮中的果膠（pectin）對於降膽固醇有好的效果，這些成分大量地存在柑橘皮中。

很多人說，我攝取很多的蔬菜水果呀，為什麼身體還是一樣的差。原來他所吃的蔬菜水果，統統都只吃裡面的肉，而不吃外面的皮，所以身體越吃越酸，越吃越差，原來是很多人吃東西都

195

吃錯了。

　　還有許多的蔬果，經過我們的測試，吃對地方，才能提供能量，才能吃得健康，讓我們舉幾個例子來說明：

　　西瓜也是果皮與果肉之間的那層白色部分最為有營養，而葡萄則是頂上的白色黏液最有營養價值。香蕉，皮非常有營養，對心臟特別好，連皮切塊或整個香蕉連皮一起打果汁吃也非常好。這些營養的部分，平常都被我們忽略了，結果水果是吃了，卻沒把營養吃進身體裡去。

　　其他，還有如香蕉、馬鈴薯、水梨、香瓜、南瓜、紅蘿蔔、白蘿蔔、山藥、牛蒡等。這些食物的外皮多屬鹼性的；而果肉則屬酸性的。我們之前提到過，在食物的攝取中我們一定要酸鹼平衡，對身體才有益處。山藥補脾養腎氣，它最有營養的地方，就在皮與肉交界黏黏的地方，牛蒡也是。白、紅蘿蔔把皮削掉後，就能量盡失了。

　　地瓜（黃肉蕃薯）是一種很好的食物，因為他擁有非常完整而豐富的胺基酸。幾乎是涵蓋人類所需要的 22 種胺基酸還有礦物質及維他命B群。人體的細胞、指甲、頭髮、皮膚、內臟、血管、紅血球的修復，都是需要胺基酸。其中有 8 種胺基酸是需要透過飲食攝取，其他的 14 種身體會自然組成。正常的人，每天一份，生病的人，每天兩份。以蒸的方式食用，如果氣溫在 15°C 以下時，可以用烤著吃，氣溫在 15°C 以上時，就不要烤著吃，以免太燥。

　　再介紹蘋果。所謂「一天一個蘋果，一生遠離醫生」。

　　美國加州大學戴維斯分校的研究人員發現，蘋果中除了果膠纖維與維他命群這些傳統的營養之外，還含有很大量的抗氧化物，這些抗氧化物可能多達數百種。在實驗中，蘋果有很強力的抗氧化力，過去的研究發現綠茶、葡萄子、柑橘皮中都含有很高

的抗氧化物，這些抗氧化能力高的水果因為能夠防止自由基對細胞的傷害與 LDL 膽固醇的氧化，所以被認為是防癌抗老的聖品，如今蘋果也榮列抗氧化之林。

美國流行病學報曾發表了一篇蘋果消費與肺癌相關的學術報告，文內研究了 9,959 位人士並發現少食蘋果者患肺癌的機會遠高於經常食蘋果者。蘋果含豐富 FLAVONOIDS 是一種有抗氧化作用的植物化合物。對於年輕人可以抗老美容提早保養，年老者可以保護心血管免於中風、心臟病，或能對抗早期的癌症。

但須注意的是，蘋果一定不能買打蠟的，因為一定要連皮一起吃。可惜的是，我們因太注重口感而買了進口的蘋果，進口的蘋果外皮因防蟲害，而塗上一層厚厚的蠟，甚至為了延長保存期限，而將蘋果浸泡在福馬林裡頭，對我們身體反而不好。所以在購買的時候，建議選擇外皮看來沒那麼好看的比較好。

再如，像香蕉，猴子才不吃皮，聰明的你看了這本書，知道要連皮一起吃，知道皮對心臟特別好！

既然果蔬的皮這麼重要，為什麼一般人都不吃呢？因為大部分人都是吃口感，好吃的才吃，皮不好吃所以不吃，真是暴殄天物阿！

如果擔心農藥污染的問題，您可參考附錄㈢中所寫有關蔬果解毒機的說明。

再如，平常食用芹菜時，由於芹菜葉的味道較不好吃，人們多數只吃芹菜莖而不吃葉，其實芹菜葉比莖更營養。這又是一個典型因「吃口感」而暴殄天物的例子。

芹菜葉含有揮發性的甘露醇，別具芳香，能增強食慾還具有保健作用。

芹菜營養十分豐富，100g 芹菜中含蛋白質 2.2g，鈣 8.5mg，鐵 8.5mg，其中蛋白質含量比一般瓜果蔬菜高 1 倍，鐵含量為蕃

197

茄的 20 倍左右。此外，β胡蘿蔔素等維生素都非常豐富。營養學界曾對芹菜的葉和莖進行過 13 項營養成分的測試，發現芹菜葉片中有 10 項指標都超過了莖。其中，胡蘿蔔素含量是莖的 88 倍；維生素 C 的含量是莖的 13 倍；維生素 B_1 是莖的 17 倍，蛋白質是莖的 11 倍，鈣則超過 2 倍。

Goh Siak Siong　53 歲　（新加坡）

◎ 光是不暴飲暴食還不夠

◆ 參加這兩次的講座後，我才了解到光是不要暴飲暴食還不夠，尤其是重症者，對食物的正確認知是非常重要的。謝謝「健康加油站」的全體人員，特別是比利先生和林教授給予的幫忙。

◆ 愛是無界線的，今日我有幸體會到，希望能早日組織「癌症關懷中心」讓我也能盡點綿力。

每餐五穀占五成，
活到半百像小伙。

八、熟食以水煮為主，忌油炸！

「任何脂肪和血你們都不可吃。這是你們在一切住處一條世代永存的律例。」

（利未記第 3 章第 17 節新譯本）

在本章我們就要來介紹如何吃熟食！最好的方法就是以水煮，以蒸、燉的方式烹調食物。對身體傷害最大的莫過於油炸食品，但最好吃的往往也是油炸食品。

我們都知道膽固醇對我們人體的傷害，我們進入本章介紹前，先來了解什麼是膽固醇？

膽固醇是脂肪的一種，它是構成細胞壁、膽汁及各種荷爾蒙的主要成分。膽固醇主要是由身體製造，亦可從平日飲食中吸取，它可與血液中的各種脂蛋白（Lipoprotein）結合，然後被輸送到身體各部分。

血液中的膽固醇如過分偏高，便可能積聚在血管內壁上，使這些血管變得狹窄甚至形成閉塞。若這種情況發生在供應血液給心臟肌肉的冠狀動脈之內，便會引致冠狀動脈心臟病，即冠心病。同樣，腦部的血管也可因膽固醇積聚而閉塞或爆裂，造成中風，引致半身不遂及死亡。

每一年的國民十大死亡原因分析都指出，腦血管疾病及心臟疾病，始終高居十大死亡原因的第二及第四位。更值得注意的是，這些疾病都與脂肪攝取量過高，存有直接或間接的關係。

從 1986 年開始，台灣地區人民脂肪的攝取量，就已經進入高危險期。根據「國民營養現況」資料發現，民眾飲食習慣不良，有 3 至 4 成的男性，會在吃飯的時候，以滷汁、豬油或荼餚

199

湯汁拌飯，女生也有 2 至 3 成；以年齡層區分，集中在 13 至 18 歲的青少年族群，其次則爲 65 歲以上的老年人。其中，男性和青少年吃得最「油」，日積月累下，可能埋下引發癌症的危險因子！

根據衛生署 1999 年公布的「國民營養現況」資料顯示，台灣地區成人每天的脂肪攝取量，均占總熱量的 33%至 34%之間，遠遠超過 10%的免癌症體質的標準。

在烹調用油及高脂食物方面，以 19 至 44 歲的青壯年攝取次數最多，不過，青少年也毫不遜色，偏愛速食、可樂、汽水、漢堡、炸雞，平均每週會吃 1.2 至 1.4 次的油炸食物，至於高脂食物的攝取，每週也高達 1.2 至 2.8 次，難怪在不知不覺中，吃進了過多油脂而不自知，「小胖子」變得越來越多。

脂肪攝取過多，將使血管囤積脂肪，增加心血管疾病的發生率，而長期過多熱量儲存在脂肪組織，除了會造成肥胖，也容易引發新陳代謝變化及疾病，如糖尿病、痛風等。專家認爲，降低脂肪攝取量，將是國人現階段飲食防癌，刻不容緩的重要步驟。

爲什麼肝不好？我們一開始有提到，我們的人體是利用肝臟來幫我們過濾油脂，再經由排便排除。但肝臟經過長期的負荷，來不及過濾了時，所以只好從皮膚作替代性的排除，否則油脂會進一步帶到腎臟，而破壞腎臟功能。所以你臉上就會長一些亂七八糟的東西。試試看，只要停止油性和油炸食物一個月，你的身體素質與臉上風光必大有改善。

在近代的醫學報導中，我們看到了一則，「年約八個多月的小孩，發現得到肝癌」。這類聳人聽聞的新聞震驚了世人！我們就從此個案來探究原因，我們研究發現，現代小孩在娘胎裡就吃下了過多的脂溶性毒素了。什麼叫作脂溶性毒素，就是所謂的飽和性脂肪酸，如動物的油脂、牛油、豬油……等。

這些脂溶性毒素會堆積骨頭裡，慢慢造成所謂的退化性關節炎，這些人只要一稍微吃油脂，關節就開始痛、手就開始麻起來了，百試不爽。再下去這些脂溶性的毒素會干擾到內分泌系統，你就會出會一大堆奇奇怪怪的毛病，包括糖尿病，所以爸爸得糖尿病、兒子也有糖尿病，不要就以為是遺傳，是因為爸爸吃得油膩膩、兒子也跟著吃得油膩膩。所以糖尿病患者只要將油脂的攝取量降低，很多病患的血糖都可以恢復正常。所以這種現象怎麼可以叫做遺傳呢？

此外，我們發現，皮膚出現不正常的症狀，這樣的症狀同樣也會出現在小朋友的臉上。以往，我們多半將這樣的症狀，以為是青春痘，其實不然。此時肝臟已經受到脂溶性毒素的傷害，而轉由皮膚排毒的方式取代了過濾功能。

當油脂利用皮膚排毒，而將毛囊堵塞時，使得男性在年紀輕輕時，就面臨落髮禿頂的命運。在此，需特別說明男性和女性的生理結構的不同，而有不同的差別。女性在每個月都有一次月經，女性每個月會藉由月經將脂溶性毒素排除體外，所以女性比較不會掉頭髮。

而男孩的脂溶性無法由下體排除出去，就是所謂的「雄性禿」。而我們只看到洗頭掉頭髮，有沒有看到心臟血管開始在堵住了？這樣就知道了吧，為什麼現代人有這麼多的心臟病和腦中風。

另外，在飲食中還有一些是會造成肝臟排毒的脂肪類食物，就是我們一般所謂的氫化植物油、乳馬林或是人造奶油的脂肪類食物。這種油存在於大部分的西點類食品裡頭，還有我們在吃烤肉時，習慣加入的奶油，都是這種油脂。

這種油在料理時特別的香，以前以為這種油比奶油還營養，結果幾十年下來，發現它是經由加工處理過的，它的結構在化學

上是呈反式的鍵結，它比真正的奶油要毒上好幾百倍。TIME（時代）雜誌就曾經公布過，這種油在自然界是不存在的，也就是說在自然情況下，人體是無法處理消化這種油脂的。一吃下去馬上對肝臟產生傷害，而且還會破壞人體細胞膜，造成細胞的缺陷影響未來的複製與再生。

在聖經記載中，我們可以清楚明白耶和華告訴我們，油的用途。這些經文明白告訴我們，油是用來點燈、抹法櫃，怎能拿來吃呢！

此外，如果一定要食用烹煮食物，一定要注意烹煮方式，如果你把食物煮太久，尤其是放在烤肉架上用煤炭燒烤時，食物容易焦黃。這種過熟的食物已經證實有高度致癌性。那些吃炸豬排或煙燻肉的人，也會吃入有害的氮化物。當動物中的脂肪、蛋白質及其他的有機化物受到極高的烹煮時，會改變其化學結構，而產生毒素。當吃下這些食物時，無異是增加致癌的風險。

潘春燕　37歲　（新加坡）

◎「輕鬆防癌」真輕鬆

◆ 聽了您的講座真的獲益不少，真的同比利大哥在廣播中講的一樣棒，而且我也每天守在收音機旁錄下林教授的「輕鬆防癌」這個單元。

◆ 希望能請教授多來這裡主辦此類型的講座，我回汶萊後，有些講演希望也能聽到。非常感謝林教授、比利大哥及所有義工們！

九、部分生食

多數人幾乎習慣將所有的食物加熱了吃。其實蔬菜還是儘可能生食比較好。

我們都知道所有食物要分解，都要靠酵素。雖然值得慶幸的是，所有食物都有酵素，但酵素在超過54℃的溫度時，就被破壞了。所以每一餐裡面，一定要局部（最好50%以上）的食物是生食。蔬菜和水果含有豐富酵素和維他命的食物，酵素與維他命對高溫是極度的敏感，容易在烹煮的過程中被破壞或流失掉。

美國自然醫學博士亨伯特・聖提諾（Humbert Santillo）以他和病魔戰鬥的親身經驗和厚實的理論基礎指出：「酵素參與了人體所有的新陳代謝過程，人體中的免疫系統，血管、肝臟、腎臟、脾臟、胰臟以及視力、聽力，甚至連呼吸都必須仰賴酵素，只要任何酵素不足，都有害健康」。

至於酵素和人體的關係，他舉了一個很貼切又傳神的例子：「人體像燈泡，酵素像電流。唯有通電後的燈泡才會亮，沒有了電，我們有的只是一個不會亮的燈泡而已。」因此他認為為了自身的健康，要不計代價地保留體內的酵素，其方法有二：一是生食，二是攝取植物的補充物。**有關植物酵素的補充品選擇在附錄㈤有詳論。**

植物藉由光合作用的化學反應，來製造地球生物得以生生不息的營養物質與能源。我們多吃植物，就等於多吃這些營養物質與能量。除此之外，植物還可以提供生命得以延續的「火星塞」，酵素、維他命和礦物質。所以當我們食用生鮮蔬菜水果時，我們等於是讓體內數以百萬計的細胞，浸淫在植物提供的營養泡泡浴裡。

　　現代人的飲食中精緻加工食品再加上熟食和微波處理，導致所食用物資的丕變，食物中不再有天然酵素，造成器官失衡，實為文明病主因。也因大量的熟食習慣，久而久之體內消化系統必須負責分泌所有的酵素來處理一堆的食物，這也是人們消化器官肥大最主要的原因。一旦飲食中適量生食許多消化的毛病都能迅速獲得改善。

　　越來越多的健康專業人士，建議我們想擁有一副強健的體魄和取之不盡、用之不竭的豐沛精力，那麼在我們的飲食中，必須包括50%到75%的生食。您所吃的生食，不僅能讓你改善慢性病造成的身體功能耗損，還可以減緩老化速率，使你的精力更加充沛，也可以使你的情緒更為愉悅。

　　此外，許多朋友都擔心，生食會不會吃下更多的殘留農藥？是的！這是必要的顧慮，您可以像我一樣，選一台功效良好的蔬果解毒機，每小時它的臭氧釋放量必須在200mg以上。詳細說明請參考附錄㈢。

　　　　　　　動物生命在血中，
　　　　　　　植物精華在種子。

十、禁食（斷食）

「他（耶穌）禁食四十晝夜，後來就餓了。」

（馬太福音第 4 章第 2 節和合本）

營養學家威拉・瓦・包理斯（Willa Vae Bowles）指出，從禁食前後的血液來分析，禁食可增加紅血球細胞並改善血液的品質。而且只要禁食夠久，則毒素可排除，皮膚更潔淨，眼睛有神，傷口可癒合，還有整個身體的組織都能恢復活力。

艾德華・赫衛爾（Edward Howell）醫師在《酵素的營養》（Enzyme Nutrition）一書中提到，禁食有益關節炎與動脈硬化等病，也能明顯改善肺部疾病和降低血壓。

禁食確有許多其他治療法無法達成的功效，但暢銷書《體內環保》（Cleansing the Body, Mind and Spirit）作者凱若琳・盧本（Carolyn Reuben）談到禁食可能出現的狀況時，提醒大家：健康斷食可讓負荷過重的腎臟、腸子與肝臟有休息的時間，但又不致超時到損害器官功能。但即使是健康禁食也可能出現不適的情況，如虛弱、噁心、頭痛、呼吸不順暢、體臭、尿或大便有惡臭、皮膚紅疹、脈搏不規則、疲勞、體溫過高或過低，以及「性」趣缺缺。這是因為脂肪被代謝成身體能源時，原本儲存在脂肪中的毒物，釋出到血液裡，產生上述症狀。

但有時你也會有禁食後的幸福愉悅感，或思考變清晰，應變力增強，體重減輕。

禁食，對我們身體最大的幫助快速的調整體質，尤其重症患者，最好的辦法就是禁食。禁食可以幫助我們體內的毒素排掉，消除便秘，尤其是連續 3 至 7 天的禁食，但是必須要有正確的專

業指導。所以我們發現擁有百萬信徒的韓國純福音中央教會的禁食禱告，就有許多專人協助照顧禁食禱告。

禁食分半禁食（吃蔬果）與全禁食（喝水）。耶穌在曠野的時候，禁食了 40 天後，聖經上寫到：「耶穌就餓了」，並不是渴了，因此我們可以推測耶穌在這 40 天是有喝水的。

日本的醫療界相信斷食對於自律神經系統及內分泌系統有改善的效果，同時也會增加腦波中的 α 波，進而增進身心的正常活動。因此斷食療法在日本全國的醫療機構廣泛地被使用。

禁食時，會先燃燒消耗脂肪，後燃燒蛋白質。而每一公克的脂肪會供給 9 卡的熱量。因此禁食時前需經過檢驗，男性標準的脂肪在 23%以內，女性標準的脂肪在 27%以內，如果體重低過標準體重百分之二十五則不能禁食，因為體內幾乎是沒有脂肪的。禁食也是一個很理想強制瘦身的好方法。

禁食療法更可將體內貯存過多的廢物排出體外，增加白血球的數量，加強其效能，並能促進副腎皮質荷爾蒙的分泌，把殘癈、有害細胞排掉。

禁食的好處，是幫身體排毒。建議一年之中可以有三個月的晚餐禁食，譬如說，選擇禮拜日或是禮拜六，只吃早餐，而午餐與晚餐不吃。除非禁食是禁一整天，否則千萬不要禁早餐。沒有經過專業的指導，也不要貿然自行禁食。

最好從 1 天開始訓練起，等能適應了，再增加到 3 天甚至更久，不要一開始就進行多天禁食，以避免危險，不適應症。禁食一次要 5 天以上才會顯現出效果，因 4 天到 5 天之後，體內才會開始排「宿便」，就是排「毒」。

禁食期間最好都不要吃任何東西，只喝乾淨的水即可，再配合呼吸調整，輕鬆勞動和灌腸，這樣愈禁食精神會愈好，身體才會更健康，不治之病都可痊癒。

十一、有關調味料的問題

在各地的門診中。都發現，99%的人肝都不好，連一個4歲大的孩子也不能倖免。兩個主要原因，第一這些小孩很喜歡吃垃圾食物，裡面都含有大量的油、鹽、糖。第二隨父母親晚睡。

許多食物本身是不壞的，錯的是我們要吃口感，要吃方便，造成錯誤的食物製作和烹調方式，才是最大的原因。

調味料中有三大害，過多使用是造成對我們身體最大的傷害，也是現代病的主要病原之一。

◎ 油脂之害

第一，精製的油，所以我們要買橄欖油的時候，一定要買冷壓的橄欖油，絕不可買氫化過的油，除了橄欖油以外，其他的油都不適合，不管是葵花子油、紅花子油、大豆油，那動物油那就更不用說了。

油攝取過量，不僅是造成肥料，更容易使心臟、血管的疾病及細胞的癌化，脂肪的攝取過量，會創造癌症體質。

摩西五經裡面三申五令的提到：「任何脂肪和血你們都不可吃。這是你們在一切住處一條世代永存的律例。」（利未記第3章第17節）。原來這些油，跟糖尿病、高血壓、心臟病都有直接的關係。尤其經過高溫炒炸之後，使我們身體有太多毒素。

你知道嗎？肝臟是我們身體的化工廠，所有脂肪類或脂溶性毒素，都要經過肝臟過濾。太多毒素過濾不了，就會進入血液，然後從皮膚上排出來。現在的小孩子到五六歲，臉上就花斑斑的，就是因為他們吃太多油脂的食物。

207

◎ 精鹽之害

第二是精製的鹽。為什麼現在腎臟病人那麼多？為什麼腎功能不好的人也那麼多？很簡單嘛！因為吃的太鹹了，鹹最傷腎。我在台灣西藥房中發現，賣得最多的藥，就是補腎的藥。我想華人的腎臟怎麼那麼糟，原來是吃了太多的鹽。

俗話說「南甜北鹹，得病根源」，就是講到中國大陸南方人愛吃甜，而北方人偏愛吃鹹，這些都是不好的烹調習慣，長期過量吃鹽正與引發各種致命慢性病的高血壓有密切關係，以上以中國大陸極其明顯的實際情況來說明。中國大陸成年人高血壓患病率平均為 5%，而南方和北方人有顯著差別：北方如天津、北京、瀋陽為 10%，而南方如上海、杭州為 5%～7%，廣州、福州、湛江則為 3%～5%。

其中一個重要的差別是人們每天吃的食鹽量不一樣，廣州人每日食鹽量在 7～8 公克，上海為 10～12 公克，而北方人為 15～20 公克。這種明顯的差異，也成了體質差異的主因了！一般來說，每日食鹽的標準為 5 公克，台灣由於經濟的快速發展，上班族普遍外食，結果常常一頓吃下來，含鹽量已超過 5 公克，從此，不難知道，為何年輕人中風是愈來愈多了！

澳大利亞的研究人員發現，如果食物中鹽分含量過高，患白內障的可能性就會增加，白內障的晶狀體變白，如果不改變飲食習慣就可能導致失明。

雪梨大學羅伯卡明博士及其同事研究發現，鈉攝入量最高者，比鈉攝入量最低者，患囊下內障的可能性高出 2 倍。這是一種對視力損傷最大的白內障。

○ 精糖之害

第三是精製兒童的糖。「保特瓶」型的糖尿病愈來愈多，原因就是他們太愛喝可樂、汽水了，而它們裡面都含有大量的砂糖，你也可以叫「殺」糖，聽這個名字就知道了，對身體一定不好。砂糖幾乎涵蓋在餅乾、蛋糕、甜品中。有一個很高的比例統計，愛吃甜食的人，容易得子宮肌瘤。而得到得子宮肌瘤的病人，我問她，也幾乎都是愛吃甜食。

糖，味道甜美，人們喜食，而且現代人是愈吃愈甜，如飲料、點心、糕餅。美國的研究人員發現，50歲左右的婦女吃甜食過多，會導致膽結石。過量的糖會增進胰島素的分泌，造成膽汁內膽固醇、膽汁酸和卵磷脂三者比例關係嚴重失調，過量的糖還能自行轉化為脂肪，影響正常的食慾，妨礙維生素、礦物質和其他營養成分的攝入，導致人們肥胖。

多吃甜食還可促發乳腺癌。據研究女性的乳房是一個能大量吸收胰島素的器官，長期攝入高糖食物，能使血內胰島素含量始終處於高水平狀態，而早期乳腺癌細胞生長，正需要大量的胰島素，而被乳房吸收的胰島素，對乳腺癌細胞的生長繁殖，就具有推波助瀾的作用。

長期食糖過量，還會加速細胞的老化。因為糖是酸性食物，健康的體液是弱鹼性的，如大量吃糖，體液 pH 值會變成弱酸性或中性，而促使細胞老化，頭髮也會變白變黃。

更嚴重地，糖吃多了，會過多消耗體內的鈣，造成骨骼脫鈣，導致骨質疏鬆症，難怪愛吃甜食的家庭主婦或女職員，常常精神不振，體力不足。

甜食過多還會刺激胃液分泌，日久損害胃黏膜，誘發胃炎和胃潰瘍。總之，糖，缺點一堆，優點一點，小心啊！

　　所有精製而令人垂涎三尺的食物，幾乎都添加了大量的油、鹽、糖。例如薯條單吃時熱量並不高，但經過高溫油炸後，熱量增加變成 44 倍。如果再製作成洋芋片熱量則增加到 250 倍。小心啊！

Alice Teo Yew Khing　51 歲　（新加坡）

◎ 防癌課程改變我的一生

◆ 首先要感謝林教授及比利，讓我有這個榮幸來上這個課程，真是獲益不淺，因家人都有患病，讓我認識很多醫療常識。

◆ 若是還有類似此課程，我還是想參與，真的感激。

有水就有生命，
換水就不換血。

附錄㈠　重建牛奶攝取觀念

　　一天，至台北靈糧堂宣教大樓探望同工，周主任牧師秘書羅勝蓮姊妹告訴我：這一篇發自中研院的文章，和您有一樣的觀點。拜讀之後，欣喜若狂，急於向眾人分享。本篇文章可稱為曠世鉅作，內容有專業、有情義，處處充滿了作者悲天憫人的胸懷，特轉載於本書內。可惜費了極大的功夫，不斷詢問，還是無法查出本文作者，請天下知情人士協尋，以便徵得轉載同意權，不勝感激。

- -

　　在臨床行醫生涯裡，因所學之故，經常容易遇見幼兒過敏、氣喘、過敏性鼻炎、扁桃腺腫大、皮膚發疹、成年人關節炎、腰背酸痛、免疫系統失調等病例，每當病家建議他們―「暫時停止攝取牛奶或乳類製品」，多數的人最初都是投以驚訝疑惑的眼神，或有駁斥道：「牛奶乃極端完整的食物，歐美人士長得高大壯碩，就是從小攝取牛奶代替茶水飲用。你這位醫師到底有沒有搞錯？」或有些病患，姑且相信並且付諸實踐，結果成效斐然，孩子或自己本身的痼疾得以痊癒，進而體悟「知難行易」的道理。其實牛奶本身營養分相當完整，可以提供小牛在嬰幼兒期的利用；猶如人類的母奶，所提供的養分亦有一定期限，超過嬰兒期再攝取就不適宜。其中蘊涵深遠的道理，牛奶乃至乳類製品到底適合不適合孩童、青少年、成人及老人呢？以下將逐步分析說明。不要忽略消化生理學上的通則；沒有健全且完整的消化作用，自然無法獲得完善的營養。

1. 從牛奶及人奶成分比較談起

蛋白質：牛奶總蛋白質含量高，為人奶的三倍。牛奶的蛋白質，主要以酪蛋白（Casein）為主，人奶以白蛋白為主。人奶味道較甜，因為碳水化合物含量較牛奶高。在礦物質方面，牛奶缺乏碘、鐵、磷、鎂，人奶含量豐富。人奶則含有二種物質成分，此乃牛奶所缺乏者，一者卵磷質（Lecithin），屬於磷脂質，一者Taurine，屬於一種胺基酸，這二種物質參與嬰兒腦部發育，哺乳人奶攸關嬰兒智能發展，又豈是牛奶可以取代？人奶中另有二種胺基酸，其含量為眾奶之上，其成分為Cystine及Tryptophan，他們提供嬰兒極佳的營養分。從人奶與牛奶成分比較中，我們可以發現一個事實，人奶、牛奶都是提供給小牛或嬰幼兒飲用。仔細觀察小牛與小嬰兒成長的差異，可以發現牛奶原是發育中小牛的食物，小牛出生後飲用牛奶，促使其骨骼及身體重量的急速發育，每個月增加一倍，（出生後前三個月均如此），但腦部發育少且慢；相對地，人類小嬰兒卻需要六個月時間，體重才會增加為出生時的一倍大。嬰兒的發育，身體成長成熟度緩慢，但腦部卻以最快速發育，超越所有的動物。小牛肢體骨骼的快速成長，故需要大量蛋白質；相對地，嬰兒腦部成長勝過肢幹，故需要卵磷質及 Taurine 等特別物質的輔助。

台灣社會經濟發達，乳類製品充斥市場，現代的小孩子發育極好，高大的軀幹，呈現早熟的徵兆。常見如十二歲的外表，卻僅有八歲的智能內涵，此乃乳類製品，如牛奶等高蛋白質的賞賜，但相對地腦部發育，智力啟發卻大不如矣！

從消化的觀點來考量，牛奶中含有二種成分，一種乳糖（Lactose），另一種酪蛋白（Casein），這二種成分，均得仰賴

特定酵素的分解。如乳糖經由 Lactase（乳糖黴），酪蛋白經由 Rennin，分解成較單純之成分。人類僅在嬰兒期（幼齒尚未長齊之前），其胃內含有這種足以消化酪蛋白的酵素 Rennin，孩童約三到四歲時，乳齒已長完備，這二種酵素就會從消化道中消失，終其一生不再分泌。

此時應當提醒父母，停止使用乳類製品，開始餵食固體食物。如果仍舊繼續使用牛奶，將會埋藏許多病苦的病兆。牛奶所含的蛋白質中，大多數是酪蛋白（Casein），酪蛋白是一種大型、堅硬、緻密、極困難消化分解的凝乳（Curds）。『酪蛋白』適合含有四個胃結構的牛，利用不斷反芻消化分解，方能完全消化。母奶蛋白質成分單位相當小，屬於性質柔軟的凝乳，即使消化系統尚在發育中的新生兒，均很容易就能消化。

牛奶與人奶，其酪蛋白的含量，牛奶為百分之三百，這種堅厚粗糙的東西，誠如粘合木器膠質。哈維醫師指出牛奶中酪蛋白因子乃是造成消化不良的重要因素。因為牛奶中所含酪蛋白及脂肪，會與所有食物進行極不適當的組合。牛奶進入胃後，會自然形成凝乳，凝乳會形成一種把胃中殘存食物包圍起來的作用，這種隔離現象，造成孤立狀態，會阻礙其他食物之消化，直到凝乳被消化為止。

從牛奶與人奶成分分析中，顯示新生兒至六個月間，最好以人奶哺乳，如此在腦部發育及營養狀況才能健全。六個月以上至幼齒長成期間，可以牛奶替代。三歲以上，或幼齒長齊則應放棄牛奶的攝取，而以天然穀物及豆類、蔬果等取代之。

2. 攝取牛奶與疾病之關係

牛奶及乳類製品，含有至少二十五種以上不同成分類型的蛋

白質（異類蛋白質），此乃造成人類過敏反應的重大原因，乃至自體免疫疾丙，均有關聯性。牛奶及乳製品為食物過敏的元凶。過敏反應幾乎不曾見過餵食母奶的嬰幼兒。倘若母親仍是乳製品的大量消耗者，過敏反應會透過奶水的餵食，造成嬰兒腹痛等疾病。

消化性潰瘍者，假使攝取乳製品，常會惡化潰瘍。其原因乃是乳類製品含有高濃度蛋白質，蛋白質的消化，必需靠胃部分泌更多的胃酸（主要是鹽酸）及消化酵素方能分解消化。因此民眾錯誤的認知以為「胃潰瘍應多喝牛奶，以令胃壁形成一層膜，可以抵抗發炎且可幫助潰瘍的癒合。」乍聽似有道理，仔細推理則是一派胡言。

神經醫學上有一種疾病，至今仍舊令人感到沮喪難治者─多發性硬化症，其發生率與孩提時代攝取過多乳製品有關。流行病學研究顯示，吃人奶者極少見有罹患此病者。

成年人糜爛潰瘍性大腸炎，兒童經常發作的急性扁桃腺炎、慢性鼻竇炎、淋巴腺發炎腫大、慢性中耳炎……這些頑固且反覆發作惱人的疾病，不論何種年齡層，只要單純地從飲食中剔除牛奶以及相關的乳類製品，短則或一個月，長則或三個月，就可以得到非常神奇的改善與效果。譬如兒童腫大的扁桃腺，不須藉助扁桃腺摘除手術，或長期抗生素治療，假以時日就會明顯的縮小而回復正常大小，永絕再患。

W. Walker 醫師是美國一位世界知名的內分泌專家，他以其六十多年長期行醫的豐富經驗中體認到，許多疾病尤其甲狀腺腫大之形成，或其他甲狀腺功能失調等棘手疾病，除了碘代謝以及賀爾蒙因素之外，直接導因於牛奶中所含酪蛋白者，經常為人們所忽略。

這種現象在牛奶及乳製品大量採用巴斯德消毒法之後，更為

顯著。Walker 醫師在三○到四○年代，提出這種想法及呼籲，誠為高瞻遠矚。由前面闡述吾人已了解酪蛋白是一種堅厚如繩索，粘膩如膠水的粘液組織，其會附著在粘膜壁上而形成身體的阻塞，造成組織器官的病變。人體組織中並沒有這種機轉的設計，足以消化崩解酪蛋白，因此對人體而言，他們是無法被利用且會阻塞全身各種系統的粘液。不論兒童、青少年、成年人、老人或病人，取用乳類製品，均會有不良副作用。孩提時代，呼吸道及消化道在免疫系統上屬於較為脆弱的組織，並且首當其衝，當粘液分泌物過多時，這二處所形成的障礙也相對增加。因此不論大小醫院，小兒門診所見，通常盡是這些消化不良、腹脹、腹瀉、便秘、嘔吐或感冒、氣管炎、氣喘、鼻塞等。總之，不論什麼年齡層，粘液阻塞通常選擇在每個人較脆弱的組織，此乃定則。

中國醫學談論病機時，在黃帝內經記載：「邪之所湊，其氣必虛。」由此可見，中外古今自然界所共同遵循的軌則，同出一轍也。因為牛奶與人奶在成分組成上之差異，加以人與牛消化器官功能上的差別，酪蛋白的腐化，釀成許多健康的問題。

在我們品嚐牛奶、乳酪、奶油等香醇迷人的乳類製品時亦當省思「病從口入」的諦理事實，讀者諸君自能領悟健康之道，建立於手口之間的抉擇。

3. 攝取牛奶無法阻止骨質疏鬆症

「多喝牛奶可以預防骨質疏鬆症」，「多吃魚骨頭，小魚乾可以補充鈣質，可以預防骨質疏鬆症」，「每天喝三大杯牛奶，健康營養不缺了」，「×××高蛋白高鈣奶粉，病中的補品，平日的食品」打開報章雜誌、電視廣播，觸目所及，廣告中不斷教導大眾，多喝牛奶攝取足量鈣質，可以杜絕骨質疏鬆、強化骨

骼；營養專家、醫護人員教導，政府衛生教育宣導，再再強調補充蛋白質、補充鈣質、多喝牛奶，攝取乳類製品，年輕人可以強化骨骼，老年人可以揮別骨骼疏鬆。這種耳熟能詳的廣告詞，早已為「蛋白質、鈣質及牛奶缺乏會導致骨質疏鬆症的恐慌者」奉為圭臬，並且天天力行實踐。

何以如此賣力實踐，骨科門診房中，仍舊有許多不慎扭傷或滑倒就造成骨折的病人呢？坦白說，每當後學對醫學研究報告讀得越多越仔細越深入後，越感到誇大不實，虛偽廣告對眾生的殘害。以訛傳訛，錯誤觀念，所謂專家一言九鼎的信條，也只是扭曲事實，自大腐化的認識，殊不知營養醫學的革命，早已默默地在有良知的改革者大力推動中，如在美國研究飲食與疾病關聯方面權威之一的麥都果醫師（John M. Dougall），曾做過一個全世界各地區人民攝取鈣質與骨質疏鬆症的大型研究計劃－歷經多年的研究、調查，提出幾個事實，以資參考。

乳類製品販售的基本理由乃在鈣質之提供。

事實上，世界上有許多國家的人民，他們的飲食中並沒有乳製品之存在，也未面臨骨質疏鬆的侵害。人類鈣質缺乏，導因於人類飲食中攝取鈣質不足者，極為有限。

攝取蛋白質越多，骨質中流失的鈣質也越多。血液中鈣的濃度，不能代表骨骼鈣質流失的程度。保持體內鈣質正性平衡，維持骨骼硬朗，根本政策－改變飲食內容，減少每天攝取蛋白質的量，卻不是增加鈣質之攝取。

從世界各地所收集的資料顯示，亞洲及非洲社會，在工業大事發展前，牛奶乃非常罕見的食品，當時他們都具有堅強的骨骼及堅固的牙齒，所謂富裕社會的文明病，極少發生在他們身上。

如非洲班圖（Bantu）的婦女，他的健康狀況乃是很好的例證，在她們的日用飲食裡，從來沒有見過牛奶，他們鈣質的來源

取自蔬菜，每日提供 250 到 400 毫克鈣質，他們鈣質吸收量不及西方社會婦女的一半。

　　班圖婦女，一生當中平均生育十個子女，每個孩子都是親自哺乳十個月。即使如此的鈣質流出及相對性地低量的鈣質攝取，骨質疏鬆症（多數骨頭表現薄又脆弱的婦女）幾乎不曾見到過。

　　相當有趣的是，假使班圖婦女移民或遷徙到其他西方國家，並且改變他們的飲食狀況，改以文明飲食（所謂高蛋白質、高糖分、高油脂、高鹽、營養豐富飲食）為主時，骨質疏鬆症及牙齒的毛病，就變成稀鬆平常了！骨質疏鬆症的發生率是一個很理想的指標，代表任何一種文化背景社會中，其骨骼中鈣質存留的狀況，間接反映飲食營養文化。

　　在醫學界及公共衛生學家們，對全世界做廣泛研究後，顯示骨質疏鬆症最常見之國家為美國、英國、瑞典、芬蘭，他們也正是乳類製品消耗最多量的國家。相對地，骨質疏鬆症極少見於乳製品消耗量最低的國家，如亞洲及非洲。

　　在美國受到骨質疏鬆症侵害者，大約有 1 億 5 千萬～2 億人口，然而美國人民的乳製品消耗量也是世界第一位。平均每位男子、女子、小孩，其一年的總平均消耗量約為 3 百磅。

　　由此顯示飲食中鈣質足夠與否，並非骨質疏鬆症之誘因，其真正原因在哪？骨質疏鬆症與蛋白質消耗量多寡有直接關聯性。換言之，倘若蛋白質攝取愈多，鈣質流失就愈厲害，骨質就愈脆弱疏鬆。愛斯基摩人給我們很精彩的範例，說明蛋白質效應與骨質中鈣的存留之間的關係。愛斯基摩人因為地理環境使然，他們的飲食含有全世界最高的蛋白質—每天 250 到 400 公克，取自魚、海象、鯨魚等，鈣質攝取量也是世界最高—每天超過 2,000 毫克，取自魚骨頭及肉類，他們骨質疏鬆症發生率是世界之冠，平均 20 歲就可見到彎腰駝背者比比皆是。相對地，非洲班圖人

217

民，每天蛋白質僅 47 公克，鈣質僅 400 毫克，未聞有骨質疏鬆症。由此再次說明牛奶及其他乳類製品（包括乳酪、奶油、冰淇淋、肉類等）飲食中含有高量（高濃度）的蛋白質，乃是造成骨質中鈣質大量流失元凶。素食者倘若蛋白質攝取過量，也會造成骨質軟化，只是植物性蛋白質較動物性蛋白，對骨骼有保護作用，其中理由乃是牛奶、乳類製品、肉類、蛋、魚類，除了蛋白質外，還有其他會促成骨質疏鬆症的因素—就是酸性物質比例太高，為了保持血液酸鹼平衡，維持弱鹼性，骨質必然要（所謂抽取）更多的鈣質，以達成此目標。在此特別提醒素食者及素食者父母，以目前台灣蛋白質平均攝取量，均屬過剩之慮，絕無缺乏之憂，千萬不要擔憂自己或孩子沒有足夠蛋白質，為了安撫這種偏差心理，進而加倍給自己或孩子補充大量牛奶、優酪乳、奶酪及蛋。請記得，得自乳製品額外的蛋白質，勢必造成鈣質及其他礦物質流失體外之傾向，造成身體負性鈣平衡。

　　除了大量蛋白質攝取，會造成骨質沖刷外流外，缺乏運動、停經、喝汽水、可樂（碳酸，磷質含量太高）、吃加工精製垃圾食物，過量的鹽及其他酸性食物，均為骨質疏鬆症的致病因素。長期的腰酸背痛、疲倦、骨頭酸軟無力、牙齒鬆動、齒齦退縮、容易扭傷、閃腰、骨折……代表骨質中鈣質及其他礦物質之流失，此刻應當重新檢討我們的飲食，減少蛋白質、魚肉類、乳類製品攝取，以便重建真正的健康。

4. 人類應當儘早放棄乳類製品之理由

　　商業性現代化便利又方便的牛奶及乳類製品，對我們人類有極大危害，除了前面敘述的理由外，有更多的研究顯示我們應當儘早丟棄牛奶、乳酪、奶油等乳類製品，今列舉四點理由說明

218

之：

(1)巴斯德消毒法的害處。

(2)毒性物質殘存的考量。

(3)均質化乳製品的傷害。

(4)合成維生素 D 的添加。

(1) 巴斯德加熱消毒法的害處

　　細菌學家巴斯德創立消毒殺菌的方法，使得牛奶或羊奶由生奶變成熟奶，雖然有利於保存及減少傷寒菌感染等，但是加熱後的牛奶或乳酪等，改變酵素性質，酵素及蛋白質、脂肪的結構成分，加熱後會形成不穩定物質，且牛奶加熱至 170°F（約攝氏62℃）會破壞牛奶中活性酵素系統，諸如 Cystine，Tryptophan，Lactase 等。其他維生素，礦物質，也大多數摧毀殆盡。又加熱後蛋白質會凝固（凝乳）形成堅硬的酪蛋白，且有益腸道的乳酸菌也遭到破壞，最後牛奶變成非常難消化，易致過敏，是對人類有害無益的東西。

　　用巴斯德消毒法，消毒牛奶是衛生單位為了強調安全、清潔的產品所設計。但是並不能提供人們有助益健康的產品，更何況巴斯德消毒法並不能完全排除毛髮，灰，花粉，黴菌、昆蟲、肥料等環境的污染。總之，巴斯德消毒法僅僅提供劣質，即使原本唯一仰賴吸食牛奶的動物—小牛，假設餵食消毒過的牛奶後，在其成熟成壯牛前就會死亡，人類應當覺察這些事實，任何人只要即時覺悟而拒絕再喝牛奶製品，都不算是太遲。雖然經過發酵的乳製品，如乳酪、酸乳酪、酸乳等，通常較比牛奶對於人類消化道，前者較為優勝，但是事實上對人類真正理想飲食而言，仍舊差距甚遠，因為他們都算是偏酸性食物，理應避免。假使真的要攝取，則可使用少量生的，無添加鹽分的乳製品。

219

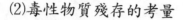

(2)毒性物質殘存的考量

現代畜牧業與過去完全不同，限宥於空間，管理，經濟效益，已不採野外自由放牧而是限地集中管理。為了避免密集式畜養而造成傳染病意外，故於飼料中添加抗生素及殺蟲劑。為了促進肉質肥美，乳汁增產，故自主的添加生長促進劑及賀爾蒙，如此無法確知的化學品添加劑亦會流入牛奶中，殘存的毒性物質隨著人類攝食又進入人體。畜養方式的改變，飼料取代牧草，牛群的生態環境及生理現象也會改變。在有一次參觀牧場的經驗中，發現牛圈裡牛隻所排出的糞便稀鬆、不成型，猶如腹瀉般，缺乏小時候在鄉間所見所聞，那陣陣泛著草香，曬乾後可以整團撿回家當燃料。纖維質的減少，牛奶中脂肪成分的改變，脂肪含量增加（因為牛群飽食終日，缺乏活動），尤其飽和性脂肪比例偏高，相對地非飽和脂肪反而大量減少，例如 EPA Eicosapentaenoic Acid）。換言之，破壞性脂肪遠比建設性脂肪為多，造成心臟血管疾病及生殖系統癌病變的增加。

(3)均質化乳製品的傷害

所謂牛奶均質化（Homogenization）是打斷牛奶中的脂肪球，破壞後令其解散的一種製作法。雖然在乳製工業中，此乃一種新的製作過程，但是質化乳會破壞人類的動脈管壁，對於發展均質化乳，實為致命一擊。Kurt Oster 醫師研究最為精闢，他發現有一種酵素（Xanthin Oxi Dase）簡稱 XO，可存於牛奶脂肪中，正常飲用非均質化乳時，XO 只會存於腸道間，不會被回吸收入血液循環中。但是牛奶若經過均質化之後，這個均質化過程會減少乳化脂肪，造成 XO 大量釋放出來，進而造成血液再回收。因此攝取均質化牛奶，吾輩血中 XO 濃度平均很高。相反

地，飲用非均質化牛奶或不喝牛奶者其 XO 濃度均低。XO 被視為血管壁瘢痕化的原因，血管壁失去原有的平滑性，會誘發脂肪物質沉澱，凝聚血小板或崩解的血球等，進一步造成瘢痕、粥狀化，最後形成血管硬化，管腔狹窄。Ostcr 及哈佛大學醫學院 Esselbacher 共同提出攝取均質化牛奶是美國人罹患心臟病的最主要原因。世界上其他國家，如芬蘭，他們的乳製品也是全面採用均質化過程，故心臟病發生率亦極高。又法國極少用均質化製乳，其心臟病比率較美國、芬蘭明顯降低。

(4)合成維生素 D 的添加

維生素 D（irradiated ergosterol），此乃經由放射性處理過的維生素添加劑，多年來一直被使用於添加入大多數商業用乳類製品或其他食品及常見合成性的多種維他命丸中。何以要添加維生素 D 呢？以前畜牧業以野外放牧方式為主，牛羊們一年到頭在戶外吃草，天然的維生素 D 及胡蘿蔔素，可以透過陽光照射在體內自然合成。再從擠出的新鮮乳汁中製作成奶油（尤其是日照豐富的夏季，製成的奶油為一種天然的鮮明的黃色成分）。這種天然的奶油，無法長久儲存及運輸到遠地，故凡是能運送者，多半所含維生素 D 極少量且顏色較淡。隨著野外放牧時間減少，吃野草機會減少，曝曬日光機會縮短，維生素 D 合成量減低，所製成的奶油，在質及維生素 D 含量上，皆隨著顏色褪去而減少，最後製乳業者只得添加色素及放射性 D 以補其不足。

動物體內的維生素 D 是一種極為複雜的成分，他們的活化過程，需要陽光照射在皮膚上，活化催促由 D_1 轉成 D_2 再轉成 D_3，分別在肝臟、腎臟中進行，最後活性的 D_3，負擔執行鈣磷代謝，鈣質再吸收，骨質鈣化等等過程。具放射性的 D_2 是一合成維生素，與自然形成的維生素在結構上有些不同。在食物中並無法攝

221

取完整的且天然的維生素 D，因此吾人在臨床上常見關節炎病患，其產生問題通常都是鈣質的利用有所障礙，顯示添加的合成性維生素D，不論取自牛奶或其他乳類製品，都不是根本解決之法。在 1930 年代，發現懷孕時，攝取維生素 D 添加之牛奶，其胎盤有鈣化現象，合成維生素D的危險性，逐漸為人所了解。數年前，在英國因為不正常鈣質代謝，導致新生兒致死，發現與放射性維生素 D，被過量添加入牛奶中使用（由 400 國際單位增加為 1,000 國際單位／每品脫）有直接關聯性，因此放射性維生素 D_2 添加品，在英國已被廢除且禁用。

近年來乳製業者，又以合成性維生素 D_3，取代放射性 D_2 為添加品，但其事實結果，對人類健康之利害影響尚未知也。

5. 後 記

後學撰寫此文時，曾為自己不斷打氣加油，雖千萬人吾往矣！明知這冒犯許多乳製業者、奶粉販售者、醫護營養學者專家及行政衛生單位，仍舊完成此文。也算為自己一向主張「牛奶是牛吃的，不是人吃的」，「為了遠離慢性病，請儘早斷奶。」寧願採用其他含鈣的植物性天然食物，以取代牛奶及其乳製品，因為他們的弊端遠大過利益。在此總算做了一次較詳盡的說明。重建牛奶攝取的觀念。

附錄㈡　以琳元氣水製造器簡介

～廖培強先生撰寫

　　有水才有生命，有健康的水才有健康長壽無病痛的生命，健康的水要具備：水中蘊含的生命來活化細胞；除了乾淨之外我在尋找最接近母胎孕育生命羊水富含生命本質的水，民國 79 年我發覺當時盛行 RO 純水：1.除了水中沒有生命之外；2.在製造過程使水造成二次污染更髒；3.並使水酸化危害人體；4.其中浪費水電資源也非常嚴重。

　　十多年後，今年民國 91 年 5 月：1.台灣乾旱浪費水資源等已危害地球人類，地球已提出嚴重警告，200 萬台 RO 機無時無刻在浪費水；2.事實是 RO 機裝愈多，腫瘤率愈高，可預見再十年後 200 萬台 RO 機應該不再使用。

　　仁美水研發機構所研發的濾水機，今後十年勢必完全取代現今台灣 200 萬台 RO 機，我們研發最符合人體使用的是上帝創造乾淨天然富含生命本質的水，能夠孕育生命，使細胞活化，而事實也證明如此。以下簡介以琳元氣水濾心之材質與功效：

1.遠紅外線海洋貝殼微量元素

　　由多種天然海洋貝殼礦石及遠紅外線陶磁粉提煉，能釋放物理光線波長 6-14 微米之遠紅外線，使水分子與分子之間產生快速震盪而產生共鳴效應，與水分子結合後能迅速切割並重組水分子團，使水分子團變小、比重較重、軟化並增加水中溶氧量，使水分子活動力增強、表面張力強、具抑菌效果，故可使水質呈微

223

鹼性，達到淨化及活化的功效。由於微量元素礦物質的增加，有促進血液循環、新陳代謝、提高消化器官的功能及促進內分泌正常，由於海洋微量元素提供與生產母胎羊水最接近之水質，所以能在短時間使細胞活化並吸收。

天然岩石、稀有礦石等材料組成的濾水芯層，含有人體所需的 20 多種均衡豐富的常量與微量元素，如鈣、鎂、鉀、鈉、磷、硅、鉻、錳、鋅、鉬、鍺、硒、鍶、銅、鐵、鈷、鎳、鈦、硼、硫、鋁、碳酸根離子、偏硅酸等，能化普通自來水為優質礦泉水。同時其麥飯石、珊瑚砂等，便可使人體達到活化細胞，促進新陳代謝，提高和增強人體的免疫能力。同時可去除人體內的毒素、污染物質及代謝廢物，清除人體內游離基，有助延緩衰老。

2、3.離子交換樹脂

品質符合美國 N.S.F.檢驗標準，專門軟化水質，並可同時釋放陰、陽離子，陰離子能降低水中硬度，徹底除去水中有害人體的重金屬（如鉛、鎘、砷、硫等）及氯化物等致癌毒素；陽離子能吸附水中過多鈣、鎂、鐵等礦物質，不只使水質達到純淨甘甜，更能達到體內礦物質的平衡。

工業科技快速的發展，而在環保技術無法防範的文明社會裡造成水質的污染，對人體產生重大傷害，如慢性疾病與癌症等。

離子交換脂除了軟化水質，其最大功能是在吸附水溶性重金屬，防止污染的危害。（而第三道因各地區水質不同，後置部份乃是備用設計，以確保水質品質統一，人人喝同樣的好水）。

4.活性碳

　　品質符合美國 N.S.F.檢驗標準,可淨化管中剩餘的水因存放所產生的異色味、餘氯、農工業污染、漂白及管鏽。

淨水原理與特性:

　　活性碳的組成物質除了碳元素以外,還含有少量的氫、氮、氧及灰等成份,其結構則由這些碳元素形成六環狀,而這些六環碳的不規則排列,造成了活性碳多微孔體積及高表面積的特性,可吸附水中的雜質與污染物質,能過濾水中各種異味和氯氣,其吸附力的效果程度每公克活性碳的吸附面積,相當於八個網球場之面積量。因此,當自來水通過活性碳時,其各種大小雜質、懸浮物、水中各種有機物、農藥、氯、臭味分子等均被活性碳吸附而達到淨水效果。

5.特殊生化陶磁

225

　　為地球上稀有罕見的石種,形成於冰河時期深埋地底百公尺下,直到火山爆發而再浮現於地表,成份由火焰般岩漿和原生晶礦凝結形成色彩奪目的稀世珍寶。

　　(1)「特殊生化陶磁」因能吸收高能量電磁波之離子,使原子周圍軌道產生負電並與中央帶正電之原子核產生互相吸引,原子間呈激烈、興奮狀態,而產生磁力,故能釋放出人體所需要之「自然磁氣能量」。

　　(2)可改酸性水質為微鹼性水質並釋放稀有微量礦物元素,除一般礦石中之鐵、鈣、鎂、鋁、鉀、鈦、錳、鋇等外,更難能可貴的是其中並含有世上稀有可使水質達到「磁化」、「活化」、「礦化」、「微鹼」健康優良水質。

　　(3)可分解水中雜質及抑制菌類繁殖並使水分子呈活潑狀態,促進新陳代謝,提高免疫系統健康功能,以及提高消化器官功能

及內分泌的正常。

6.英國丹頓精密陶瓷濾菌管

早於1827年英國「丹頓」家族就開始生產陶瓷食水淨化器，來過濾河水及井水，使當時被霍亂疫症蹂躪的英國居民獲得清純的食水飲用，「丹頓」亦因此獲頒皇家嘉許證。現今「丹頓」陶瓷濾材是全球專利註冊及行銷全球130個國家。「丹頓」以先進陶瓷科技，採用矽藻素燒瓷（DIATOMACEOUS KIESELGUHR）製成各式濾芯，過濾精密孔徑直徑保持0.5微米以下（一根頭髮的橫切面積可容納2000個單位的0.5微米孔徑），對過濾比率為99.99％，濾膽表面堅硬，洗刷後可重覆使用，經濟耐用。並可徹底濾除大腸桿菌、霍亂菌、痢疾志賀氏菌、沙門氏菌、克雷氏菌、囊狀蟲、痢疾菌等。除此「丹頓」不斷發展濾水設備，隨著社會現代化，化學劑的使用及數量激增，工業往往將化學及重金屬廢棄物排放到河流裡，而農業用的農藥及殺蟲劑就由土壤滲入地下水源，嚴重污染食物，故此「丹頓」因應在濾芯加入先進的擠壓碳精及高密度活性碳及ENGELHARDATS重金屬隔離游子，隔除有害化學品及重金屬，為人類提供天然清純食水。

7.活性碳

在層層過濾與製作流程後，原本的自來水已變成純淨、甘甜、高含氧量、含豐富礦物質及高能量的元氣水，元氣水乃是活水，因此，最後一道的活性碳乃是為著保持活化水質特殊材質設計，以防萬一出遊多天，而水在沒有流動的狀態下變成死水，因此，在元氣水機中有如此貼心的設計，您即可安心暢飲，且您若

能每天保持 3000 cc 以上生飲，您會永保健康青春美麗。

　　要製作出好水的條件，不只濾心要符合台灣的水質使用，更需要懂台灣水質的專家來配製，才能創造出一台真正的好水機，然而宇宙間的好水已隨著文明世代的污染而危及到我們的生存條件，而仁美水研發機構就是本著再創造出宇宙間最優質的好水而努力，也因此於 1999 年以琳元氣水正式誕生於世。經過以琳元氣水機製作出來的水有如下與眾不同：

(1)能製造出帶有超高能量和高含氧量的水分子團，這種水滲透力強，攝取後馬上被吸收，可以更有效地進出人體及動植物的細胞，將養分、高氧高能量迅速帶入細胞中，並將囤積細胞中的污染物質攜出，促使疲勞及老化的細胞加速代謝，所以以琳元氣水乃是提供新細胞健康優良的生長環境，自然五臟六腑就不易產生病變，皮膚自然細膩有光澤，也不易讓人產生虛胖體質，達到改善酸性體質、健康長壽的最終目的。

(2)榮獲 2000 年消費者協會水質千禧金牌獎

(3)陶瓷濾心可隨時清洗，乾淨看得見。

(4)完全無需用電，節省瓦斯，不需儲水保持活水狀態，不浪費水，維護水資源。

(5)水的溫度因屬人體最適合飲用的溫度 12〜14 度之間，所以無論大人、小孩、健康或疾病者（腎臟疾病者例外）皆可大量生飲，尤其調整體質者效果極佳。

(6)以琳元氣水因為是高能量的天然好水，pH 值是在 7.4〜7.8 之間是為人體最佳飲用的好水，所以即使大量飲用也不會有產生不舒服的感覺，反而可以快速幫助新陳代謝，恢復免疫系統的健康功能。

(7)元氣水的使用例
　生飲方面：

227

①飯前半小時飲用可促進食慾。

②運動後大量出汗，可補充能量，恢復精神。

③日常飲用可增加抵抗力，對於疾病可預防兼治療。

④早上起床先喝一杯500c.c.生飲元氣水可幫助腸胃蠕動，促進代謝功能。

沖泡方面：

①用來沖泡茶葉可防止單寧酸溶解出來，使茶色漂亮，口感更香濃。

②沖泡咖啡香味更純更香。

③調酒——威士忌、啤酒、高粱酒摻入元氣水中可中和酒酸，讓您喝起來順口，味道更佳。

④沖泡牛奶溶解迅速，可補充嬰兒所需的鈣質，使牙齒及骨骼發育健全。

預防疾病方面：

①便秘、下痢——可影響腸胃蠕動，清早起來2～3杯即有顯著功效。

②胃痛——中和胃酸，長期飲用可治療胃腸疾病。

③高血壓——有溶化膽固醇並中和血液酸性的作用，可降低血壓。

④肝病——可使肝機能正常，有穩定神經、消除疲勞的作用。

⑤腎臟病——有明顯的利尿作用，促進新陳代謝，預防腎臟疾病。

⑥孕婦飲用可補充鈣質之不足，促進血液循環，防止孕吐。

⑦可改善酸性體質，預防兼治療神經痛、風濕、痛風。

⑧糖尿病——補充鈣離子，促進體內胰島素的產生。

⑨感冒、頭痛、發燒、酒醉——元氣水可鎮定神經、調整血液循環補充氧氣，排除病毒，迅速消除症狀。

附錄 ㈢　臭氧的原理與應用

～何松根先生與何昇龍先生撰寫

1. 臭氧簡介

　　臭氧又名超氧或強氧，分子符號 O_3，英文名稱「OZONE」其濃度高時呈淡藍色，最早為西元 1785 年，德人凡馬隆於雷雨後，發現空氣特別清新，而且具有獨特草鮮味，而知其存在。至西元 1840 年，德人 Shobein 以希臘字「OZONE」命名之。「OZONE」具有新鮮空氣的意思。

　　臭氧之性質比氧（O_2）活潑，重量為氧氣的 1.5 倍，氧化能力僅次於氟，殺菌力為氯的 3000 倍。臭氧能於短時間內將空氣及水中的浮游細菌消滅，並能中和、分解各種有毒物質，去除一切惡臭，並能漂白澄清水中污染雜質。

　　臭氧是由三個原子氧（O）結合而成的一個分子（O_3）。當臭氧產生時，臭氧分子結構中的第三個原子氧會不斷的從此結構中游離或逸出，當逸出時，會於瞬間產生極大的殺菌、解毒、漂白、脫臭等氧化作用，臭氧如果未與其他物質產生氧化反應，也會自行分解為純氧（O_2）。

　　臭氧也會因光、熱、水分、金屬、金屬氧化物及其他的觸媒而加速其分解。

　　大自然暴風雨中閃電、打雷會產生大量的臭氧，臭氧可以淨化空氣，是故雷雨後，空氣特別清新。太陽光中的紫外線會放射高能量，令大氣層形成光化學反應而產生臭氧，地球上 90% 以上

的臭氧集中於臭氧層，臭氧層可以吸收有害的太陽輻射線，以保護地面上的生物。

臭氧因卓越的殺菌、解毒、漂白、脫臭能力，因而用途極廣，包括：

(1)大型環保工程，工業化學廢水、廢氣之處理。

(2)食品工業生產製程之改善。

(3)自來水生飲設備之消毒、殺菌。

(4)水產養殖漁業之應用。

(5)游泳池殺菌、消毒。

(6)大樓空調、廢水排放處理。

(7)實驗室、無菌室之使用。

(8)辦公室、臥室、客廳之空氣淨化。

(9)日常飲水、用水之消毒。

(10)蔬果農藥殘毒之改善。

(11)魚肉除腥、殺菌、分解賀爾蒙。

(12)皮膚潤膚美白殺菌。

2. 臭氧的原理

臭氧（O_3, OZONE）又名重氧，是以稀薄的狀態混合於空氣或氧氣中，以光學作用（雷擊閃電瞬間或X光紫外線高周波放電時）通過空氣時自然產生於地球上的成層圈或地表上（尤其是在海濱、森林地帶有比較多臭氧存在）臭氧以化學式說明，即由三個同素原子：氧（O）結合構成一個分子（O_3），當臭氧產生時，二個原子中第三個原子具有不斷地從其他兩個原子的結合中游離、破壞或逸出的性質，並在游離時，藉當時的能量很快的產生強力氧化作用，氧化其他物質，更難得是臭氧在氧化過程中，

如無氧化反應物質時，即還原為氧氣，而毫無痕跡地達成目的後自行消失的優異特性（$O_3 - O_2$（氧氣）O（初生氧）），當初生氧與氧氣游離時藉當時的能量產生(1)殺菌、(2)脫臭、(3)解毒、(4)漂白等氧化作用。

臭氧在空氣中常溫時能和所有飽和有機物以非常低的速度進行化學反應，而對不飽和有機物則在78℃或低於這個溫度下急速地反應。

臭氧以水為媒體共有時，可與多數的有機物急速而強力地發生化學反應，因此，能除去水中不純物，或討人厭惡的味道，臭氧、顏色等，並發揮強力的殺菌效果。

臭氧一般來說，是混合在空氣中的稀薄氣體，由於分解速度快，所以不能儲存（但液體臭氧則另當別論），自古以來臭氧在自然界中為人類提供其特性與功能默默的服務，實為人類生存中不可或缺的寶貴元素。

231

3. 臭氧的特性

(1)臭氧的環境淨化與解毒

因為各種產業的發達，工廠林立，工廠設施所排出的各種惡性瓦斯（如亞硫酸、硫化鈉、氨氣、液化瓦斯等）有害氣體，自來水廠、飼料廠、魚市場、製皮場等所排放的廢水及惡臭，以及公寓、高樓大廈、公共場所所產生之污濁空氣及生活廢水等均能以臭氧於短時間內加以淨化消毒及除臭，並將居住的環境轉化為清新的空氣及乾淨的水質。例如一氧化碳（$CO + O_3 = CO_2 + O_2$）的毒氣，和水中的農藥殘毒等，臭氧都能將其中和分解並消滅其毒性。

附錄二

(2)臭氧的殺菌力超強

臭氧能於短時間內將結核菌、大腸菌、霍亂菌、赤痢菌及其他細菌等消滅。因此對於氣管炎的患者具有特別的效果，能在晝夜中產生奇妙的效果，又如喉痛、多痰咳嗽症、口臭、煙酒臭、狐臭等能都在一夜中消失。

(3)臭氧的脫臭作用

因為臭氧在分解過程中產生的初生氧具有強大的氧化作用，所以對亞硫酸瓦斯、一氧化碳等有毒氣體的分解，有機污染物質在腐敗分解中產生的臭味（如氨氣）混合惡毒氣體等都能在短時間內產生分解作用而成為安定無臭的空氣。

(4)臭氧是生活水的主宰

在法國、英國、日本均大規模的裝設臭氧裝置，產生美味衛生的自來水供應生飲，其理由是殺菌力大，而且不留渣滓，其殺菌力快速，遠非一般消毒水（活性氯）可比（最近醫學及環保相關機構已檢測出以氯氣消毒的自來水中經煮沸後易產生含有三鹵甲烷的致癌物質），臭氧可使細菌、濾過性病毒等完全消滅。

(5)臭氧沐浴與健康

經常洗臭氧溫水浴（溶有臭氧的水），除了快速殺死皮膚黴菌之外，並且洗後可產生滑潤細嫩（氧化作用）、潔白（漂白作用）的肌膚，亦可改善皮膚病、香港腳（殺菌作用）等效用，並可促進人體組織的氧氣利用率，改善細胞之活力，根據 1966 諾貝爾獎得主溫伯格（Dr. Felix Warburg）說，一般細胞是靠氧氣來營養是謂嗜氧性；而癌細胞是靠醣發酵來營養，是謂嫌氧性。假

232

如我們的身體氧氣供應充足，就可預防癌症的發生。

4. 臭氧的應用

　　由於臭氧有如此強大的功能，世界各國科學家相繼投入臭氧的研發已有半世紀之久，在人工產生臭氧的製程、應用材料、日常生活應用等等，不停的加以研究改良，因此陸續有人造臭氧產生機的問世，從大型工業用廢水廢氣處理的臭氧機到家庭用淨化空氣活化水質的臭氧機，實已跨出一大步，其中又以與人類生活息息相關的家庭用「臭氧蔬果解毒機」之推出最具有革命性的意義。

5. 臭氧與生活

　　以臭氧機應用於日常生活中，其便利性及優越性是多方面的，以下為實際應用說明：

　　(1)食

①食用水之處理：以容器盛水，將臭氧導入水中，讓臭氧與水結合可將其中有害物質（有機化合物、濾過性病毒，細菌等）分解氧化，而達到殺菌、解毒、除色、除臭的功效。

②蔬果殘留農藥及寄生蟲的去除：將蔬菜水果浸入容器中，並將臭氧導入水中，即能達到消毒殺菌的功效，處理後以清水沖洗即可食用或保存。蔬果經臭氧處理後，將更青脆可口並可保留更長時間。

③魚及肉類處理：將魚肉浸入水中，打入臭氧，除可去除魚腥味，消毒殺菌並使肉品更新鮮更有彈性外，亦能除去魚肉中

的異味或泥味。

④貝、蝦及蟹類食品浸水，臭氧處理能促進吐沙效果，並能殺死寄生蟲，使其肉質鮮美口感更佳。

⑤煮飯：以臭氧水洗米、浸泡完後再煮，飯更香Q可口。

⑥杯、盤及奶瓶等器皿之消毒：入水中打入臭氧即可，處理完再以臭氧水沖洗一遍。

⑦冰箱中異味之去除：將臭氧打入冰箱，能殺菌、去除異味，並保持食物新鮮。

(2)衣

①衣櫃中衣物之殺菌、除臭及去霉。

②結合洗衣機使用：能將衣物纖維中洗衣粉殘留化學物、污垢及細菌去除，並有漂白及除臭作用，使衣物光鮮亮麗。

(3)住

①消除室內霉味，使人神清氣爽，一覺到天亮。

②能迅速氧化分解香煙產生的尼古丁，而聞不到煙味。

③消除廚房的瓦斯毒氣及房間或廁所內的臭味異味。

④室內空氣經循環過濾，臭氧能直接殺死空氣中的病菌，減少疾病感染。

(4)其他

①水族箱：每週數次打臭氧，可殺死魚類皮膚上的寄生蟲，並將魚類所產生排泄物消毒、分解，可減少換水次數，並因水中含氧量增加使魚類更活潑健康，減少病變。

②美白功效：以臭氧水洗臉或浸泡全身，能清除毛細孔內污垢並殺菌。同時水中高含氧量能促進皮膚新陳代謝，使皮膚光

滑細嫩及潔白（臭氧能將沈澱在皮膚下的黑色素漂白）而達
到美白效果。

③以臭氧水清洗並浸泡頭髮，能去頭皮屑、止癢，並使頭髮柔
軟烏黑。

④營業場所消毒除臭：寵物店、餐廳、醫院、辦公室、公共場
所等。

6. 臭氧處理食物的方法

(1)糙米處理：把欲處理的糙米置於容器內，加水八分，打入臭氧
時間 20～30 分鐘，稍微攪動，農藥殘留之陰影不再，變成香
Q 可口又營養之健康米食，可預防腳氣病。

(2)魚類之處理：先去鱗及內臟，並用清水洗淨後，置於容器內加
水八分滿，打入臭氧，時間 10～15 分鐘，可消滅有害細菌，
去土味，使湯頭更加鮮美，肉質細嫩有彈性，如放入冰箱保
存，因已經過殺菌處理，肉質不易腐敗，長保新鮮。

(3)蝦類之處理：可將附著之微生物及雜物用臭氧機處理 20～30
分鐘後，即可洗淨，蒸、煮、炸、香酥甜美。

(4)貝類之處理：臭氧機 20～30 分鐘處理後，可加強吐沙效果，
鮮蚵處理後，蚵體飽滿發亮，新鮮度保持良好。

(5)肉類之處理：臭氧處理 10～15 分鐘，可分解肉類中的抗生素
及生長激素，使肉質更鮮美。

(6)蔬果農藥殘毒去除：蔬果收成後，在短時間內就會枯萎變質，
用臭氧機處理浸泡 15～30 分鐘，可把表面微生物及農藥去除、
淨化、保持新鮮。

(7)食物解凍：魚肉經冷凍後，欲解凍時，可浸泡臭氧水，可抑制
細菌的滋生及蛋白質分解，並恢復到冷凍前相似的品質。

臭氧機介紹

(1)臭氧蔬果解毒機

具有六大功能：

①分解蔬果農藥殘毒。

②肉類、魚類之消毒殺菌。

③洗米、洗菜，可口保鮮。

④健康有氧泡沫浴。

⑤皮膚殺菌、潤膚潔白。

⑥漱口、洗臉，衛生美容。

(2)臭氧負離子空氣機

具有六大功能：

①除塵、除煙，居家舒適。

②殺菌、除臭，身體健康。

③分解毒氣及有害物質，預防疾病。

④充足氧氣、活化細胞、預防癌症。

⑤促進血液循環、正常新陳代謝。

⑥豐富的負離子及新鮮氧氣，如沐浴於森林中。

產品特點：

①掛壁式設計，不占空間、安裝容易。

②倒數電子計時裝置，用途多、用電省。

③具有中華民國專利、德國專利及大陸專利。

▲ 蔬果解毒機

Jenny NG　39歲　（新加坡）

◎ 史無前例的寶貴知識

這是史無前例的寶貴知識，十分感謝。

笑逐顏開，使人喜樂；

喜訊使人，心曠神怡。

～ 聖經 ～

黃永財 （新加坡）

◎ 排毒餐治好了我的血癌

我在今年 4 月 2 號檢查出我得了血癌，我當時非常灰心，也想過放棄醫療算了。當時隔壁鄰居邱媽媽知道了我的病情後，她立刻幫我將症狀傳真給比利，過了幾天，比利來電給我。了解了我的病情後，就立刻安排我上林教授的課，之後我才對「癌症非絕症」有所了解。原來是我們的飲食習慣出了問題，林教授所教導的排毒餐我吃了 1 個禮拜後，會感覺疲倦、不想動，和易怒，不過在第 2 個禮拜就好轉了。在排毒時間我 1 天排尿 9 至 10 次之多，有時半夜還想排尿。真想，不如坐在馬桶上睡覺算了。在第 3 個禮拜我開始有精神和力氣，也感覺不疲倦了。當第 6 個禮拜，林教授幫我複診時，原本我的 4 個器官出現狀況，大腸、小腸、脾胃、肝、腎都不好。不過，現在林教授再幫我檢查後，都已迅速恢復了。

余西安　42 歲 （新加坡）

◎ 正確的健康知識很重要

林教授的課使我們不捨得林教授離開，也使我們知道怎樣維護健康。

◆ 林教授一級棒。

附錄㈣　植物綜合酵素

　　生命是藉由成千上百的代謝反應，不斷地運作而維繫著。人體的代謝反應完全依賴酵素，酵素主導著人體如何有效運用食物的營養素，透過酵素的作用，幫助調整體質、促進細胞新陳代謝、修護受損部位、加速體內廢物排除，維持體內各機能運作順暢。

　　在許多健康食品店中，植物酵素一直是酵素類產品的暢銷品。植物酵素是將數十種不同的蔬果、穀類、海藻類及菇類等植物，經自然發酵研製而成，保留了植物中的營養精華，含有人體需要的各種酵素、寡糖及多種維生素和礦物質，又可產生豐富的SOD抗氧化酵素成分，提高體內抗氧化能力，進而增強免疫力。

　　以營養學的觀點來說，植物酵素是藉由發酵作用，使蔬果分解成較小分子的營養素，可直接被人體迅速吸收、參與調節新陳代謝過程。建議營養攝取不均衡、消化吸收狀況差、上班容易疲勞的人，不妨食用植物酵素來調整體質。一般建議，植物酵素在空腹時食用效果較好，也比較不易受到胃酸的破壞。

1. 何謂「酵素」？

　　所有的身體活動幾乎均需酵素參與，才能順利進行，目前已知的酵素有數千種之多，存在於所有活的動、植物體內，可以維持身體正常功能、消化食物、修復組織等。體內儘管有足量的維他命、礦物質、水分及蛋白質等營養素，但如果沒有酵素存在，則將無法維持生命正常運作。

　　所有不同的酵素在體內都有其特定功能，稱為酵素的「專一

性」，非其他酵素所能代替完成。它會選擇特定的受質來反應，在細胞質中一大堆的酵素與一大堆的反應中間物混雜在一起，非但不會造成混亂，反而一個反應產生的產物馬上被另一酵素當成反應物而用掉，若我們從一個靜態的角度來看，細胞中各種物質的濃度經常保持在一個定值，好像達到了平衡，若從動態的觀點來分析，我們知道真正發生的是物質形成的速率等於物質消耗的速率，而達到一種穩定狀態，使得終產物能在生理條件下有機的合成。細胞大部分的反應均受這些酵素的催化（啟動），使反應得以進行並加快速率。體內許多反應都需靠酵素，但要注意別讓它們負擔過重。

酵素是一種蛋白質，在適宜的溫度範圍內，酵素的活性隨溫度升高而增高，但是溫度若高於適宜的溫度範圍，酵素很快就失去活性。相對地，溫度越低，酵素的活性越低，依酵素種類的不同，其最低溫度、最適宜溫度及最高溫度的溫度範圍也不同。大部分的酵素，其催化反應最適宜溫度範圍在 25℃～ 35℃ 之間；此外酵素活性也受到酸鹼度的影響，一般而言，酵素於酸鹼值中性、微酸性或微鹼性情況下，其活性較好，但每一種酵素均有它適宜的酸鹼度。

2. 補充植物綜合酵素的原因？

天然食物中含有許多的營養素，為了使食物中的營養素能釋放出來，供給人體吸收利用，我們要經過咀嚼，使食物變成碎塊，好讓消化酵素方便其作用。大部分的酵素都是蛋白質組成的，高溫烹調會破壞酵素的活性，使酵素失去作用。由於台灣餐食大都以熟食為主，使得食物中原有的酵素遭受破壞，導致人體無法利用，必須使用人體自行分泌的消化酵素，加上隨著年齡的

增長，體內分泌酵素的能力會逐漸減少，也因此造成許多銀髮族的消化問題。至於那些不吃生食或未補充酵素者，在酵素的供應缺乏下，給身體施加不當的壓力。因為酵素是提供身體能量的營養素，過分地使用會損害身體運作的限度，使身體易患癌症、肥胖、心臟血管疾病等，亦可能是其他疾病的成因之一。

要減輕體內自製酵素的負擔，多吃生鮮的蔬菜水果是有益的，除了補充醣類、維生素、礦物質外，最為重要的是補充酵素，鳳梨、酪梨、香蕉、芒果富含酵素，但各種芽菜（sprouts）是最豐富的來源，可多選用。選擇食物補充酵素時，一定要注意，當地、當季和盛產三大原則，否則反而造成傷害。如不足夠時，市面上的替代性商品：綜合酵素不失為另一選擇。

3. 如何知道體內酵素不足？

當體內缺乏酵素，會影響到體內的新陳代謝，也就是營養吸收及廢物排泄過程無法順利進行，當新陳代謝系統罷工或擺烏龍時，我們就會有不好的感覺出現，以下表格將針對缺乏酵素情形加以說明：

造成酵素不足的因素	年齡遞增、緊張、壓力、食用烹煮食物、加工食品、發燒生病、運動過度、長期慢性病、咖啡刺激性飲料
酵素不足病徵	容易疲倦、體力不繼、肌肉背部酸痛、食量大仍胖不起來、消化不良、容易脹氣、胃口不佳、老化早衰、低血糖、內分泌失調、肥胖
服用後功效	體力充沛、胃口增加、身體舒暢、膚質變好、痘痘不見了、體態輕盈纖細、排便順暢、肌肉酸痛減輕、體質呈健康的弱鹼性

4. 什麼人適合補充植物綜合酵素？

在日本與台灣，兩地的發酵工業均很發達，也都研製許多不同的綜合酵素產品，以液態、錠狀、膠囊或粉末狀的型態上市，使用相當方便。一般而言，站在協助人體消化吸收的立場，酵素的確對某些族群是特別有幫助的：

- 消化吸收不良者
- 緊張忙碌的上班族
- 減肥者
- 長期慢性病患
- 銀髮族

以上族群均能藉由植物綜合酵素的補充，使我們吃下的食物，可以順利分解、轉換成體內可以吸收運用的型式，進而解決他們的腸胃不適、消化不良、營養吸收不良、體力不濟等問題。

市售酵素產品大部分來自動物酵素，食物必須抵達胃的底部及小腸時，這些補充品才能幫助消化。而取自植物發酵而成的酵素，食物在胃的上半部便已被酵素作用，開始消化前的工作，這樣既可減少身體的工作量，也為身體省下許多需要的酵素。

所有形式的酵素都應該存放於適冷的地方以確保其效用。錠狀與液態可置於冰箱存放。然而粉末及膠囊不該放入冰箱，因容易受潮；只要將其存放在陰涼、乾燥的地方即可。

附錄㈤　植物種子纖維

　　美國衛生基金會提出了一種測量孩子飲食中需多少膳食纖維質的方法。就是「兒童的年齡加五」，就能夠知道兒童每天飲食中需要多少膳食纖維，以此為標準，約有 2/3 以上的兒童未達此攝取標準。

　　人體的消化系統中，小腸負責食物的消化、吸收，大腸負責清除糞便、廢物。醫學上「宿便」即是腸內積存超過 24 小時未排的糞便，這是相當寬鬆的標準，更準確地說，食物進入體內若超過 12 小時未能排出，那食物就可能變成毒物！包含囤積在小腸絨毛和大腸壁上的蛋白質、脂肪、膽固醇、纖維質等消化代謝後所產生老舊廢物。腸壁肌肉隨著年齡的增長會逐漸的鬆弛，因而蠕動能力減弱，如此會造成糞便不排出，就會有便秘、宿便的情況產生。便秘惡化時，廢棄物積存過久容易腐壞，產生有害、有毒物質，長時間停留在腸內的結果，將會刺激腸壁，影響腸子的功能，並且容易引發面皰、青春痘、皮膚粗糙、痔瘡、便秘、肝病變、心血管疾病、心肌梗塞、高血壓、動脈硬化、中風、肥胖、大腸憩室炎、癌症（大腸癌、乳癌）等。

　　膳食纖維能增加糞便的體積，1 公克的膳食纖維約可增加 20 倍的糞便體積。因此可刺激大腸蠕動，進而將廢物推送排泄出去。除此之外，水溶性纖維有吸水、保水及澎潤效果，可使糞便比較柔軟濕潤，容易排出，因此有預防及紓解便秘、宿便的作用。何為「膳食纖維」，又為何有「水溶性纖維」呢？

　　膳食纖維是存在於植物細胞壁及細胞內，不能被人體消化酵素所分解的物質。成分是碳水化合物，因鏈結的方式不一樣，所以人體不能消化吸收、產生能量。膳食纖維可分為非水溶性纖維

及水溶性纖維兩類。

非水溶性纖維（粗纖維）：不溶於水及一般溶劑

1. 纖維素；根莖菜類、豆類、未加工的麩質、全麥麵粉。

2. 半纖維素：全穀類、麩質穀類、海藻類。

3. 木質素：稻草、木材、竹子、蔬菜較老的莖部分。

水溶性纖維：具有吸水、保水性

1. 果膠：膠狀的多醣類，柑橘類水果，蘋果、梨、柿子、花椰菜、高麗菜、紅蘿蔔、南瓜、馬鈴薯等含量高。

2. 植物膠：溶於水形成膠狀有黏性的物質，洋車前子、燕麥、大麥、愛玉子等含量豐富。

3. 黏質：具黏性及保水性的多醣類，海藻類（海帶所含的海藻酸）、種子中含有。

膳食纖維的生理作用：

1. 刺激大腸壁肌肉蠕動，而將糞便推送出，預防便秘、痔瘡。

2. 可增加飽食感，延長胃的排空，減緩飢餓感，減少食物及熱量過度攝取，降低肥胖的發生之機率。

3. 膳食纖維能刺激腸的蠕動，使廢棄物能及時排出體外，減少毒素對腸壁的毒害作用，因而可以保護皮膚，進而減少皮膚問題產生。

4. 增加糞便的體積，可降低腸內壓，預防憩室產生（腸腔內壓力上升而大腸壁肌肉虛弱，造成血管在大腸腸腔壁向內形成突出的小囊，稱為憩室。憩室是一個會堆積有害物質的地方）。

5. 可與腸道中的食物結合，減少消化液滲入食物中，降低醣類消化，緩和血糖上升速度。

6. 膳食纖維能減少 LDL（低密度脂蛋白膽固醇）的含量，使 HDL（高密度脂蛋白膽固醇）含量增加，達到改善動脈硬化的目的，降低心血管疾病罹患率。

7. 降低血液中膽固醇：
   (1)膳食纖維可與飲食中的膽固醇結合，降低膽固醇的吸收。
   (2)可與膽鹽、膽酸結合，降低飲食中膽固醇的吸收，增加膽固醇的排泄。
   (3)膳食纖維中含麥角固醇，可抑制飲食中膽固醇的吸收。
   (4)膳食纖維攝取增加，同時也會增加維生素 C 的攝取，因此可促進膽固醇的代謝。

8. 預防大腸癌：
   (1)膳食纖維吸附水分，使腸內實體物質增加，稀釋腸內有毒物質。同時減少有毒物質與腸壁黏膜細胞的接觸時間。
   (2)可提供腸內好細菌能量的來源，抑制壞菌的生長繁殖。
   (3)保持腸道黏膜完整，及防止有毒物質的再釋放。
   (4)膳食纖維結合膽鹽，促進膽鹽排泄，可降低一級膽酸、二級膽酸被腸道細菌分解代謝成致癌物質。
   (5)結合食品中有毒物質，如紅色色素二號、金屬鉛、汞等，減少對身體的傷害。

　　膳食纖維的好處如此多，而現代人的精緻飲食中又非常的缺乏。因此，「纖維」可說是相當熱門的健康飲食，市面處處可見高纖餅乾、高纖飲料、高纖錠等，「高纖」幾乎和健康劃上等號，而優良的膳食纖維有哪些呢？

　　洋車前子（Psyllium）莖粗短，葉長橢圓形，種子含珊瑚木（Aucubine）、酵素、脂肪、黏膠質（Mucilage）等物質。洋車前子的種子外殼經加工磨碎後，因可吸收其重量 25 倍的水分，並形成凝膠。洋車前子常見歐美高纖飲食中，被當成纖維質的添加物，被視為是最優質的植物種子纖維。根據臨床研究其可降低血液中低密度脂蛋白膽固醇（LDL）的量，而不會降低血液中高密度脂蛋白膽固醇（HDL）的量。於 1998 年 FDA 公布，攝食洋

車前子纖維可以降低心血管疾病的發生。

　　近期美國營養期刊的一篇研究報告（American Journal of Clinical Nutrition 1999; 61:1014-1019）中證明，洋車前子麩皮能夠降低膽固醇，預防心臟病的發作。多吃高纖食品不但能降低血中低密度脂蛋白濃度，同時有助於身體的新陳代謝。美國肯塔基大學曾進行一項人體臨床實驗，將 26 位有高血脂症的患者分為兩組，其中一組中每天配合開水食用 10.2g 的洋車前子麩皮，另一組則無。八週後，食用洋車前子纖維的受試者，膽固醇含量平均降至每 100ml 血液內膽固醇 211mg（約降 4 ％），而低密度脂蛋白也降低約 7 ％。

　　英國威爾斯省卡地夫大學的 Dr Andrew Smith 研究一群 30～80 歲受試者，在每日早餐中給與 40 公克的纖維。研究發現，受試者的心情指數中，高纖早餐組的心情較為快樂，而疲勞感覺也降低 10 ％。另外，高纖早餐組的憂鬱指數大為降低，也顯得更有活力和精神良好。這是第一個關於高纖飲食和心理健康關連的研究，研究人員並沒有推論其中原因，不過更加顯示膳食纖維對於人們的心情有所關連。

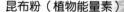

附錄㈥　昆布粉（植物能量素）

～植物本草專家吳榮隆先生撰寫

1. 昆布粉概述

　　昆布粉（CaFe）又稱鈣源（CALGEN 或植物能量素）其中含有鈣、鐵、錳、銅、鎂、鉀、鈔等，對於健康都非常重要的礦物質類，可溶解於水，在體內成為容易被吸收的離子化狀態。

　　什麼叫做離子化呢？就是帶有陽電子者，這種離子化的鈣就在血液中與有陰電子的成分結合，部分被肌肉、臟器、神經、皮膚等的組織所攝取，部分就成為「中和代謝物質被排出體外」。

2. 昆布粉之主要成分及作用

　　鈣具有使肌肉收縮及鬆弛，調節毛細管及細胞膜的透過性，減少神經、肌肉的興奮、在血液凝固時所不能缺少的要素。血液中的鈣量減少時，會成為神經質、焦躁、行動也會產生異常。

　　綜合鈣不足有下列弊害：軟骨症、牙齒粗亂、骨質疏鬆症、溶血、心臟障礙、精神異常、行動異常、自閉症、無集中力、記憶力消失、缺乏熱心、無光明感、不喜歡讀書、焦躁、很容易吵架、易採行暴力、行動遲鈍、痙攣抽筋、心悸亢進、脈搏不整、生長障礙、佝僂病。

　　鐵「鐵為不容易吸收的礦物質，一疏忽就會成為貧血，直接連結氧的不足，尤其在孕期，氧氣不足時，會引起胎兒腦的發育

障礙。」已在低能兒的母親調查得知與貧血有密切的關係，除服用離子鈣之外，並服用吉益花粉及補充銅、鈷、維他命 B_{12}、菸鹼酸、葉酸、維他命C、維他命B_6，必須氨基酸來防止貧血，當可生下白白胖胖聰明的孩子。

錳缺乏時，男性、女性的生殖能力都會低落，會引起發育上的障礙以及貧血、招致動脈硬化，以及傴僂性關節炎、胃酸減少症、膽汁酸缺乏症、失去對細菌的抵抗力、成為神經失調症。

銅使鐵與蛋白質及血紅素的合成。活用維他命C所不可缺的營養素。

鎂除在 46 種營養素的相互作用關係之外，尚可提高肌肉的刺激感受性，使血液中的糖成為能量的作用。缺乏鎂時會引起肌肉的痙攣、幻覺、昏睡、血管擴張、充血、神經過敏、興奮等。鎂可使憂鬱症狀減輕，維持心臟及血管的功能正常、鎮定心臟病發作。

鎂可防止鈣沈附於組織及血管壁，防止腎臟結石、膽結石的發生。

鎂可擴張敏捷度，年輕、熱心、活力、思考力，並發揮其力量。

鎂可消除緊迫，成為新鮮的心情、耐暑氣、夏天會覺得涼爽而可安眠，又稱為夏天的自然冷氣。

鉀、鈉與高血壓有關，鉀尤其對肌肉為重要的營養素，肌肉的收縮、蛋白質及肝糖的體內蓄積具有影響。缺乏鉀時，會成為肌肉無力症，肌肉麻痺，也會引起腸閉塞，知覺遲鈍，反射神經會低落。此外還會成為發育不良慢性疲勞、高血壓等。有充分的鉀、鈣、鎂時，就不容易成為心臟病，不足時就會成為心肌梗塞。

使心臟活動的就是肌肉，但肌肉的伸縮，鈣與鉀，均有重要

的作用。可減少血液中的膽固醇及預防動脈硬化。

　　大量喝咖啡的人、喝酒、喜歡甜食、低血糖，使用利尿劑者，外科手術後的人、乳兒的下痢，服用阿斯匹靈藥物（醫院或藥局的新藥）的人，尤其會使鉀的消耗量增大，應注意防止其不足。

　　矽可使皮膚保持彈性，在發育期的青少年，特別需要矽。更有保護牙齒的琺瑯質，及血管細胞的作用。

Doreen Tay　（新加坡）

◎ **對食物不再有恐懼感**

- 對食物有恐懼感，在這之前完全不了解這麼多，聽了後，才知道林教授的說法對我們很重要。

- 而且得到很多寶貴的知識，林教授談吐很風趣、幽默。

249

兩餐之間吃水果，

七時左右進早餐。

汪惠嬋　54歲　（新加坡）

◎ 將子宮積血完全清除了

　　我本來已經停經約有 10 月之久，當我有機會上林教授的抗癌講座後，我照著林教授所編排的排毒餐，開始吃糙米飯、水果、生菜和蕃薯，從 7 月 15 日開始到 8 月 8 日後，我早上醒來，感覺腰酸背痛，到了下午時分，我開始來紅，第 2 天月經來得更多，到了第 4 天，我開始感到害怕，因為每 15 分鐘就要上一次廁所更換，這情形是以前沒有的。到了下午時，月經停止了，我放下了心，還好沒去找醫生，不過，第 5 天中午時分，月經又來了，而且還是一樣的多，第 6 天才開始停止，到現在，我發現我的經血是深紅色的，教授說是因為我有遵照排毒餐的吃法，把我子宮裡的經血完完全全排除乾淨了，我非常感謝林教授和比利，還有所有的義工們，謝謝。

蔬菜水果連皮吃，
酸鹹平衡七點四。

附錄㈦ 談好轉反應

好轉反應是走向治癒的證明，在食用健康排毒餐數日後，會以為「是不是出現副作用了」而感到害怕，這並不是副作用，而是叫做「好轉反應」（也稱為治癒反應，中醫稱為「瞑眩」）、「好轉反應」會在數日內消失，但有些人並不會出現好轉反應，大概 10 人當中 2～3 人會因好轉反應而煩惱，如果相當嚴重而無法忍受時，請多休息，並喝大量元氣水和植物綜合酵素。若反應輕微，不知不覺就過去了。但是嚴重時，會以為副作用而煩惱。當然也有不出現好轉反應者，雖然在出現時會有一時的不舒適，但可加速效果。並不是說不出現好轉反應就沒有效果，有些始終不會出現好轉反應現象，是因為好轉反應現象在不同時期不明顯而已。

中醫認為，好轉反應是表示已確實對症的反應，不是警告反應，而是判斷適當的反應，請務必放心。

會引起好轉反應是由於健康排毒餐中含有許多礦物質和維他命等均衡營養素，進入人體後把原來伴休止的器官細胞又動起來（例如腸又開始作用，使宿便剝離而引起肚子痛）或者是體內的毒素移動的疼痛（如神經痛、青春痘、濕疹一時增多的現象）。正如生鏽的鐵管，灌入了除鏽劑，一時會許多鐵鏽流出，然後就會很乾淨是同樣的道理。輕度的好轉反應，只會有欲睡、口乾、懶散、肩疼、下痢（軟便時一天要排便數次），好轉反應的下痢，不會伴有腹痛為其特徵，輕度發癢、放屁（甚至一天會有數十次之多）等。

嚴重者會頭痛、腫包、目眩、發熱、濕疹、關節痛、血糖升高、血壓升高、呼吸困難、嘔吐、食慾不振等，真的會有令人煩

惱的自覺症狀出現。

　　如果這時因害怕而停止食用時，將會造成前功盡棄。好轉反應出現時，應該繼續食用排毒餐；一旦好轉反應消失，才是您開始恢復健康的時刻。

　　好轉反應通常都出現在食用後第 3 天至第 7 天時，（有些人會在食用後 30 天才出現）此現象會連續 3 至 10 天會自動消失，真正嚴重者也只有 3 天左右而已，無論怎樣都不會引致病情的惡化，希望能藉著好轉反應的時間長短來自我檢討健康的狀況。

　　好轉反應一般是不會一齊出現，有些人會在別的部位出現反應，這樣的人也許被好轉反應干擾 2～3 個星期也說不定，但這仍然是身體器官組織在食用前，已經開始惡化的證明。而它會按器官惡化輕重的順序，尋找不明顯的部位，因而會出現疼痛現象。例如為了頭痛而食用排毒餐時，最初會因頭更痛而煩惱，不久又會出現肚子痛的例子，就是說以前在腸的某一部位有了異常（無論是有無自覺症狀）。反覆出現好轉反應也不是副作用，因基本上沒有引起副作用的因素存在，有些做了斷食療法也出現好轉反應，所以若在這段期間內，請務必忍耐通過這個考驗的關卡，健康人生已在前方向您招手了。

　　如果長期服用，好轉反應仍未停止，自己雖然想繼續使用，但是周圍的親友七嘴八舌或出於同情而說服您中斷的例子非常多，請您自己務必要堅持到底，以免喪失了健康的機會。「好轉反應」很厲害或非常痛苦，務必喝大量元氣水，但不要服用止痛藥物，因為這現象只是一時的，體內正在做一次廢物、毒素的大掃除，並不是副作用，請安心。

252

林教授造福我全家

張富美（台灣）

　　在上林光常教授「整合醫學」以前，我就深深了解「身體健康就能萬事如意」！所以在飲食保健上就相當注意了。以為這樣就能遠離疾病的侵襲；但上課後，才真正了解，原來我的飲食保健方法還是錯誤的，實際非但不健康，罹患某些「重大疾病」的機率，卻是相當的高。

　　由於現在社會工商繁榮，科技突飛猛進，許多人生活在富裕的環境下，常無所節制的大吃大喝，造成營養過剩，身體負荷不了……加上生活不規律、壓力等，而導致高血壓、中風、糖尿病、癌症……等，諸多凌虐人的文明病產生，尤其是癌症，得到癌症者就等於是被宣判死刑。根據資料統計，現在每 10 分鐘就有人罹患癌症，而每 4 人就有 1 人得，這機率簡直大到不可思議。以前只要聽到有人罹患癌症，除了只能希望他們能夠遇到技術好的「西醫」，求老天憐憫別拖太久外，真是別無他法；殊不知，原來「西醫」才是真正導致患者快速死亡的黑手。

　　大部分人一定跟我一樣，生病看醫生時，看到醫生的表情，會聯想醫生是否病得比我們重？加上只用鼻孔回話，就覺得病情加重？而教我們「整合醫學」的林教授，不但平易近人，充滿活力和朝氣；幫患者檢查時，細心又給人希望……看到教授反而覺得病都好了一半。同樣是醫生，對待患者的方式差真多。

　　教授不僅對西醫了解透徹，更擷取其解剖學優點，融合中醫

253

之精髓，而發展出來的這套真正符合人性個體的自然醫學。而這個課程教我們如何隨時隨地，在無需任何科學儀器的侵入，即可以「一根筷子」檢查出身體內部各器官是否健康？尤其是癌症─科學儀器號稱精確無比，然而 5 公分以下還是檢查不出來。但憑著一根筷子的這套醫學，卻能馬上斷出身體是否已經出現「病體環境」而提前預防，遑論 1 公分以下。

在上課過程中，每每內心都相當的震撼。教授上課內容除很多臨床實證，更多方蒐集資料，簡單明瞭的解釋比喻：讓我們覺得健康竟是唾手可得的，端看是否有正確觀念，是否用對方法及接觸對的事物。除此之外，為引發出我們的學習興致，以輕鬆活潑的方式帶動我們，還有生動有趣卻又神奇的各種實驗；我覺得教授為讓我們快速學習並吸收，所用的方式真的是簡單易懂……還特別設計出一套不分任何體質的排毒餐讓我們先把體內之毒全部清乾淨，使我們的身體擁有「真正的」健康與美麗。只要明白─「不給身體生病的環境，就不用擔心罹患各種文明病」的理論，人生就是彩色的。也因此，我按照排毒餐食用並重新調整飲食習慣─體驗很多也很深─體內乾淨、身體變輕、能量增加、氣色也跟著明亮粉嫩，使人更具信心；三歲姪女連續高燒兩天不出汗，還能幫她逼出汗而痊癒；另一個最大好處是照排毒餐持續食用一個月……不小心失去的小蠻腰，於無心插柳柳成蔭的情況下（原想淨化體質、恢復健康、遠離疾病）竟然恢復成我原本還算傲人的身材，而且只有腰腹縮小，而該大的……嗯，很好！至今沒再胖回去；諸如此類。

「醫學」原是那麼的複雜遙不可及，但是教授非常用心的讓我們明白─「真正的醫學」是單純而生活化的，不僅就圍繞在身邊，且真正是人人可自行 DIY 自保兼保家人。老天對我們真好，在我們身邊安排一個除文明病高手，尤其是癌症，有些被「西

「醫」宣判「死刑」的患者，到了教授手裡，反而「無癌開釋」了；「西醫」花一星期檢查，教授卻只要一分鐘就馬上知道答案。唐朝李白曾以「一筆定江山」流傳千古，21世紀的現代，教授卻一分鐘檢查即可「一筷定生死」，無庸置疑，稱教授為「癌症終結者」、「文明病終結者」都不為過。

現在，我已經完全不怕癌症等重大疾病，保險可以把它們換掉了，因為知道預防的方法啦！而且有了這套整合醫學，可以「仗勢欺癌」了－拿筷子嚇它，搞不好癌細胞只要看到筷子就自殺了也說不定。將來如果這項技術成為全民運動（就像某足球電影），那每個人皮包、身上……戴掛的可能不是玉、不是水晶，而是用筷子當飾品了！

想到此，不禁要為自己的幸運，深深的感恩上天，感謝教授，讓我們儘快「回頭是岸」，希望能有更多人和我一樣也能享受到這份福澤。

神奇的酵素

．．．

〜徐銀霞　台中聖教會

　　28年前，第一次懷孕4個月流產，當時適逢冬天，卻不懂調養，每餐吃大量的大白菜、蘿蔔等寒涼的東西，加上煮了很硬的肉，之後胃腸開始不適，生食和水果大部分都不能吃，又不知如何調養，只進食魚肉蛋奶及熟食，所以身體和腸胃每下愈況，直到14年前，得了頸部腫瘤，接下來約2〜3年就開刀一次或生一場病，至今已開過5次刀（頸部腫瘤、下額骨髓炎、胸部縱膈腔腫瘤、肺部腫瘤、子宮肌瘤），以及一次嚴重肺炎，如今體重只有28公斤，腸胃衰弱到幾乎正常食物都無法進食，只靠流質營養素度日。

　　6月底，又因為腸胃不適無法進食，而住院調養，經過10幾天，毫無進展，醫生也束手無策，當時自覺已撐不久了，正準備靜待上帝寵召，直到林惠美牧師來看我，拿了二卷林光常教授演講的錄音帶給我聽，教我們如何用飲食來改善身體健康，其中有提到酵素的功能，當時的我已無法照錄音帶裡面的飲食方法來調養身體，酵素倒是可以試試看，之後就開始吃酵素，沒想到竟然有神奇的效果，本來我的腸胃，幾乎吃什麼都瀉，吃下去的食物無法完全消化，吃了酵素以後，腹部的脹氣消失了，本來腹部一直很硬，我還以為腹部又長瘤了，吃了酵素以後經常感覺到腸胃蠕動，腹部變軟了，也不瀉肚子了，排出來的大便呈金黃色，是我多年來不曾有的，消化功能也好很多，很快就出院了。還有我

本來常常失眠，神經衰弱做惡夢，也都好了，現在很好睡。經林教授飲食指導，改吃糙米漿及一些天然營養食品，身體正持續進步中，我真是太高興了，感謝上帝派來天使幫助我，讓我的人生充滿希望，我相信我會好起來的。

2002 年 7 月 25 日

未罹患癌症前的徐銀霞姊妹

林惠美牧師（右）與徐銀霞姊妹
攝於徐府　　　　　　2002.7.25

乘上「身體更新運動」的浪潮

～林惠美牧師　台中聖教會

　　今年 6 月 17 日我們教會的賴翠霞姊妹拿給我二卷林光常教授的「飲食、環境與健康」錄音帶，她說，這二卷錄音帶是從台北靈糧堂「長途跋涉」到加拿大她當師母的小姑手中，再從加拿大拿回來給她的，要我聽看看。沒想到這二卷錄音帶，有如從上帝那裡降下來給我的至寶，也解答了我沉積心底 20 年的信仰難題，現在就讓我娓娓道來。

　　1982 年，我的父親 54 歲那年，病發 57 天之後肝癌過世。他的離世，使我們全家懷疑上帝的作為，百思不解為何像爸爸這麼一位愛主、愛人、愛牧者、愛教會的敬虔基督徒，上帝不彰顯他醫治的大能，留住他的生命，在世上為祂做見證，何況為了他的病情，我們全家都陪他到苗栗禱告山去哀求上帝醫治他。

　　1986 年，全家人好不容易從喪父之慟中走出來，不料，那年 5 月外婆過世後 2 個星期，在長老會當了 9 年傳道人，盡忠職守、愛主愛人、頭腦聰明、幽默風趣、積極上進、人見人愛的小弟，在一次打網球之後，即因身體不適住進淡水馬偕醫院。剛開始得知是急性肝炎，後來竟演變成猛爆性肝炎，轉院至台大加護病房，昏迷 12 天後變蒙主「速召」回去，發病前後不過是短短的 21 天。在他發病前，已受聘於美國亞特蘭大長老教會，前途似錦的他，從小到大沒有生過什麼大病，從外表看，他的身材魁梧，沒想到竟會一病不起，與所有愛他的人永別，年僅 37 歲，剛結

婚 2 年半。

　　一家六口，老的、小的都這麼蒙主恩寵，來不及交代後事，就被主召回天家，從信仰的角度思忖，始終不解。大弟從爸爸回天家之後就不再進教會，小弟的再蒙主寵召，更使他的信仰一蹶不振。想到爸媽 2 人分別在他們的龐大家族中，是第一個信主的，竟會如此的「沒見證」。媽媽常說，現在全時間的工人這麼缺乏，神學院一直努力招生，而像小弟這麼一位受過裝備有心服事主的工人，上帝竟然忍心把他帶走，難道我們家是「受詛咒」的家庭？抑或，我們家是上帝特選的器皿，要在苦難中磨練我們？……一大串沒有答案的問題不斷縈繞心中，最後我們只能以「神的道路高過我們的道路，祂的意念高過我們的意念，即或不然，我們仍要信靠主，相信後必知清」來自我安慰、安慰人。

　　然而，聽了林光常教授的十幾卷錄音帶後，我的心豁然開朗，原來不是上帝不喜悅我們，而是我們因「無知」而賠上二條人命。爸爸和小弟都有吃消夜、晚睡、熬夜的習慣，爸爸喜歡吃醃過的食物，小弟喜歡吃肉，兩人都不大喜歡吃蔬菜水果，他們又是 B 型肝炎帶原者，長期不當的飲食習慣，導致肝臟負荷不了，加上心理、情緒上的壓力，才會一發不可收拾。

　　而我自己曾有 2 次胃出血及 25 年腦神經衰弱的紀錄，雖然1994 年第二次胃出血時，檢查出是幽門桿菌感染，經過治療已不再復發，但睡眠障礙始終未能根治。今年 2 月 21 日，我 90 歲的婆婆住進加護病房，為人長媳的我必須在教會、醫院與家庭三者間往返，勞碌奔波，近三個月的期間，我必須每天依靠 Stilnos 藥物來幫助我入睡，才能熬過漫漫長夜。白天則心跳不規則、腰酸背痛、四肢無力，且肝的部位有令人不舒服的灼熱感，守喪期間，症狀更明顯。

　　5 月 22 日追思禮拜過後，我迫不及待的到彰基去做半天的健

259

康檢查，29 日寄來厚厚一本檢查報告，GOT、GPT 都正常，但卻有七種毛病，必須分別去六科門診。

聽完林教授的錄音帶，我從 6 月 20 日開始吃排毒早餐，奇妙的是，25 日早上秤一秤體重，少了 2 公斤，肝部位的灼熱感消失無蹤。6 月 28 日下午到髮廊剪頭髮時，竟然在椅子上打起了瞌睡，從那天起直到今日（7 月 25 日），我已不必再靠藥物入睡。7 月 5 日我和先生到普吉島渡假，出發前媽媽叮嚀我還是帶著藥物隨行，以防萬一，奇妙的是，不管在飛機上或遊覽車上，我也可以睡得很熟，Stilnos 又原封不動的帶回來，半顆也沒吃到。現在精神、體力都很好。

更令人嘖嘖稱奇的是，7 月 3 日我 49 歲生日那天，我到中山醫院腫瘤科去看我們教會一位被癌症折磨得不成人形的徐銀霞姊妹，我拿了林教授的「健康排毒餐」與「癌症非絕症」兩卷錄音帶給她，並與她分享我最近的新發現、新經歷，她虛弱的躺在床上告訴我說：「牧師啊！妳不知道我的體質，我現在可是連喝水都會拉的狀況，更別說什麼食物了，這次再住進醫院，我已告訴我先生，我可能撐不過去了……，我自己也已走得很累，很想『休息』（回天家）了。」

記得去年，她的癌細胞轉移到肺部，接受開刀手術時，我到恢復室、病房看她，每次禱告，二個人都哭在一起，這一次，我好像吃了熊心豹子膽一樣，信心十足的告訴她說：「我後天要出國不能再來看妳，但我相信神一定會透過這二卷錄音帶，為妳開一條又新又廣又容易的路，妳的小兒子還小，妳要靠主堅強起來，神一定會醫治妳的。」

13 日出國回來後，我打電話給她，她說，聽了錄音帶之後，她才發現 20 幾年來她因胃寒不太敢吃生的食物，大多吃熟食及燥熱一點的食物，鄰居的蕙芳姊妹拿給她粉狀的酵素，放了 3、

260

4 天她都不敢吃，第 4 天突然有個靈感，反正現在人還在醫院靠點滴維生，萬一有什麼事發生，也有醫生在旁邊照料，就大膽喝了酵素，沒想到胃也不痛，體力恢復很快，四天之後她就出院回家修養了，現在她已不吃任何藥物，經林教授指導改吃天然食物，目前正持續進步中。掛電話之前她說：「林牧師啊！妳和林光常教授真是我的救命恩人，我的先生、小孩見我這種情形都好興奮，我也對未來充滿希望與信心，感謝上帝對我特別的憐憫與慈愛。」

　　放下電話，我高聲舉手讚美神，感謝上帝帶領林光常教授回國來幫助祂的眾兒女，使我們有幸進入「身體更新運動」的浪潮中，一切頌讚、榮耀都歸給神！

2002、7、25

劉俊吾　64 歲　（中國大陸）

◎完全沒有腫瘤反應了

　　已退伍軍人，97 年 3 月 10 日。

　　晚期胃因什空腸吻合術（腫瘤沒切除）。做過 5 天化療，因適應不了而停止，出現病危現象，醫生發出病危通知單。

　　接受尿療（每天 1,000 毫升以上）中醫治療，已 5 年過去了，體重由 90 斤增加到 140 斤。

　　吃排毒餐 1 個月後，體重由 137 減少到 132 斤，排便良好，精力、體力比過去好，睡眠一直很好。肝、脾、心臟、腎都非常好。檢測沒有腫瘤反應。

前所未有的體驗

～民雄有機世界　莊瑩枝

1. 為何食用排毒餐

年過中年，我感覺體力急速下降，常覺得四肢酸痛，容易疲勞，經朋友引薦，於民國 90 年 12 月，我邀請林光常教授到我在嘉義所經營的「民雄有機世界」來演講，目的是了解如何吃才健康，以及如何做體內環保等相關主題。演講過程中，聽眾普遍反應良好，對健康問題也發言踴躍。好奇心驅使下，我麻煩教授使用圓環測試，幫我檢查體內毒素累積情形，其結果讓我非常驚訝。雖然覺得平時容易勞累、四肢酸痛或鼻子過敏、免疫力不佳是小問題，但經儀器檢測後，教授說，雖然我並沒有患什麼重大疾病，但長久疲勞過度，累積相當多毒素，應該要及早休息調養，避免日後更大疾病發生。於是，半信半疑下，我開始服用教授建議的健康排毒餐，並且配合植物酵素的使用

2. 食用過程

拜自己有販賣有機食物之便，在飲食上，我完全遵循教授的建議，採用有機食物。其中早餐服用一果兩蔬所攪成的精力湯，且蔬菜以根莖花果為主，不使用葉菜類，並且配合地瓜與糙米

飯，期間並配合服用植物酵素強力
排毒；午餐並不做刻意改變，依原
來習慣飲食，但是減少油與調味料
的使用；晚餐不吃飯，以水果與燙
過青菜為主，並在晚上七點前吃
完，之後不再食用任何食物。除此
之外，在一天活動中，持續喝大量
好水。

3. 親身體驗

　　自己都想不到的身心改變，讓我對這套有機排毒餐產生無比
的信心。從 90 年 12 月到 91 年 3 月期間，諸多改善舉例如下：

(1)不再容易疲勞，並覺得體力較以前進步。

(2)體力精神一旦改善，心情便感到輕鬆不少，情緒比較穩定，連
　　思想方面都比較樂觀光明。

(3)更想不到的是，多年來我一直想仿效廣告、街坊鄰居的減肥方
　　式，但都沒成功。這次為了健康原因吃排毒餐，體重反而不知
　　不覺間由 78 公斤減為 68 公斤，連我的小孩都不敢相信自己的
　　媽媽竟然可以這樣健康的瘦。

(4)以前種種經常性病症，例如頭暈、十多年的鼻子過敏毛病，也
　　都大有改善。

4. 水的影響

　　在還未食用健康排毒餐前，我因為工作勞累又需要長時間和
顧客溝通、講話，因此聲音長期沙啞。在服用排毒餐初期，雖然

263

身、心狀態好轉，但是聲音沙啞現象仍未有改善。林教授在了解我的飲食狀態後，強力建議我一定要將原本中性的飲用水替換，改成弱鹼性的元氣水。因此，在無計可施的情況下，我姑且一試將水調整成生飲弱鹼性的水。不到一個月的時間，我的聲音竟然恢復正常，我這才真正相信教授所提倡：生飲弱鹼性的水。

5. 排毒餐的推廣

由剛開始的半信半疑，經過自己親身體驗，到之後身體狀況、精神狀態獲得改善，這一路走來，我深信健康排毒餐是身體精神健康愉快的有效途徑。重要的是，期間不需要複雜、刻意的程序，僅需要將飲食習慣做一個簡單的改變。現在我將這一套簡單易行的排毒餐，開始從自己家人推廣起，進而介紹給親戚朋友與有機世界的其他客人，除了在我們西式早餐店中，多加入排毒早餐供應外，我也教導客人如何在家裡自行準備排毒餐，讓全家人都享受健康。經過數個月的推廣與觀察，我發現，不少客人在精神狀態與身體機能均有許多明顯提升，特別是對於便秘、易疲勞、肝功能不佳與糖尿病患等都有不錯改善。

6. 結語

　　現在，我相信教授所說：如果每一個人都能吃健康排毒餐，並配合適當運動與開朗的心情，一定是一個健康有活力的個人，家庭一定是健康快樂的家庭，國家也一定是蒸蒸日上的國家，而且每個人都可以活到 120 歲，並且活得健康有自信。

Josephinl　（新加坡）

◎ 克服手機的危害

　　您好，剛才聽到林教授提及的手機危害，所以寫此傳真給你，這是我真實的經驗：

　　我使用手機已經好幾年了，過去每當晚間就會把手機關掉，但一年前認識了一個朋友，因為他經常會 SMS 給我，所以我就不再關機，而且夜晚睡覺時就把手機放在床頭，然而這些日子來我經常頭暈，身體健康已不如前，看醫生吃藥也沒用，正是百思不解之際聽到教授提起自己不用手機的話題之後，我才覺悟，於是在一個月前我把手機關掉了，果然我的健康慢慢的恢復，頭也不會像以前一樣暈頭轉向了。

排毒餐治癒多年痼疾

王牧師 （台灣）

　　這套健康排毒餐可以用幾個方式形容它的好處「省錢、省時、省力」，當然大家首先會關心它為什麼省錢呢？第一、依照林教授的這套健康排毒餐食用，每一餐的份量並不需要太多，可以選擇你喜歡的食用，幾乎都可以讓身體得到應有的幫助。第二、我家幾乎已經不用熱炒烹飪，所以不用抽油煙機，不用沙拉油，不用洗碗精，甚至是瓦斯也省了不少，同時，連垃圾也減量了許多，因為連皮都吃掉了嘛。

　　說到省時最簡單的就是，不太需要為吃東西而傷透腦筋。尤其對我個人有一個最大的幫助。我以前的體重大約是 106～108 公斤，結婚的時候至少都還有 100 公斤，因為從小我就非常喜歡吃肉，每一餐不能沒有肉，否則就會感覺不對，甚至覺得沒吃飽。另外，由於我吃生的食物，容易拉肚子，所以對於蔬菜、生冷的食物儘量少吃，甚至排斥。

　　自從我吃了林弟兄的這套健康排毒餐後，重新改變了我飲食的習慣。我剛開始吃的第一個禮拜，還是拉肚子拉得很厲害，而且排泄物都是黑色的，但是慢慢的改善不少，而且我不再為拉肚子而困擾了。感謝主，感謝林弟兄。第一次林弟兄量我的腸胃時，說我的腸胃已經報銷了，但是經過一段時間的調整，現在腸胃已非常健康。

　　而這套健康排毒餐讓我覺得省力的原因，是由於我吃了以後

體重降低，讓我走起路來滿省力的。而且林弟兄強調搭配這套健康排毒餐需要<u>多走路</u>。走路，已經成為我主要的生活方式，每天早上當太太還在睡覺的時候，我就已起床走路一段時間了。譬如說買東西、上教會、一般的活動，我都儘量以走路的方式完成，當我走了一段時間，我發現台北市變得很小，沒有一個地方你沒辦法征服的；就像 B 細胞一樣，任何地方都可以征服。

以前常有朋友建議我<u>多運動</u>，我心想我又沒辦法像周牧師一樣安排時間打網球，於是就一直遲遲無法運動。我可以提醒大家，不需為運動特別找時間、找地方、找同伴，因為當你將走路養成你生活的一部分，根本不需要額外再做別的運動。同時也因為多走路，也使得我省了不少的車油錢呢。

所以，飲食調整的改變，除了會讓我們的生活習慣改變，也讓我們的身心靈同時也改善不少。

晚九之後放輕鬆，
子時之前入夢鄉。

七、八年的高血壓恢復正常了

梅媽媽　（台灣）

剛開始是使用部分的排毒餐，也就是說中午及晚上儘量吃簡單的素菜，早餐一定吃排毒餐，我也儘量遵守在每晚上 11 點入睡，中午也會抽時間睡午覺。至於牛奶，我以前是每天都要喝的，目的是為了防止骨質疏鬆症。但是自從聽了林教授的課後，就不再飲用。結果身體並無不適。

在我吃健康排毒餐一開始的兩個禮拜，第一個明顯作用是感冒生病。其實我以前是不容易感冒的，但是自從吃了排毒餐後的第 1 週就感冒，可是在第 2 週很快就不藥而癒了。接下來我也發現，吃了排毒餐剛開始雖然沒吃什麼，嘴巴總是發出不好的口氣，但幾天後，口氣也慢慢沒有了。更神奇的是，我有一個拇指甲是灰指甲，在吃了排毒餐 3 週後，顏色慢慢淡下來了。原來是我的肝功能恢復，擁有良好的排毒功能。

這七、八年來我一直持續吃高血壓藥，但血壓一直居高不下。

前一陣子太忙，高血壓藥吃完後一直沒去拿藥，直到 2 週後，不能再不吃藥了，就去拿藥。沒想到拿藥時，順便測測血壓，結果卻令我與醫師都大為所驚，因為高血壓是 129，而低血壓是 61，這個數據是我十幾年來從來沒有過的，連我長期吃血壓藥，都不可能有這樣的血壓。這樣的結果，我想是與我吃的健康排毒餐大有關係，所以我非常感謝林教授。

作　者　簡　介

　　林光常教授，1963 年 1 月出生於台灣高雄的旗津小島上，在那兒放眼望去是廣大無邊、海天一色的台灣海峽。海洋生活的童年孕育了他廣泛的興趣與遼闊的視野，再加上自幼受到宗教信仰的薰陶，使他深具悲天憫人的情懷與強烈的歷史使命感。所以，他總是根據社會的發展與人們的需要，欣然獻出赤子之心，而無怨無悔地付出。

　　當他發現愈來愈多的家庭被癌症所吞噬，愈來愈多的人陷入得癌的恐懼中，他就暗自做了一個決定：重返校園。他在完成美國檀香山大學 MBA 學位多年後，利用在中國大陸擔任忙碌的企業與機構顧問的閒暇之餘，又得到了一個好機會，研修了在中國享有一定盛名的遼寧中醫學院中醫課程，並在其附屬醫院實習，豐厚了他的醫學理論與實務經驗，尤其在癌症的防治上多有心得。更深刻地體會到老生常談的「防癌比治癌更重要」的觀念。

　　林教授自幼熱心公益，及長更積極投入各種社團公益活動，多年來曾先後擔任中華民國潛能開發協會副會長，中華民國社會關愛協會會長，中華民國遠紅外線科技應用協會理事等。並義務性地為《醫藥日報》撰寫了一整年的〈保健專欄〉，還在百忙中抽空提供他的專業在漢聲廣播電台主講「健康、成功與醫學」主題，為期一年九個月。

　　為了全面推廣「正確的飲食方式與健康的生活習慣」，期能減少因無知與疏忽而造成人生不可彌補之痛，林教授每年演講不下三百場次，終日披星戴月，不辭辛勞足跡遍及海內外，就是希

望人人無病無痛無掛慮，常樂長壽常富足。

　　後來，他為了跨大步解開癌症的密碼，向更多國際上權威又專精的醫學專家學習，又進入美國葛魯博大學東方醫學研究所博士班就讀，這回他專注於生命中自然康復力對癌症治療功效的探討，陸續已獲致多項傑出研究與臨床成果，為癌症病人帶來了莫大的康復盼望與生命的希望。

　　林教授尤其擅長將複雜的哲理簡單化，將艱深的醫理通俗化，在他精闢獨到、深入淺出、幽默風趣又鼓舞人心的演說中，許多人都重獲了生存的勇氣與生命的力量。最近，在新加坡新傳媒（MEDIACORP）電視台，由「金嗶獎」四冠王得主東方比利先生所主持的「新世紀互動」節目和 972 最愛頻道中的「輕鬆防癌，積極抗癌」單元中，林教授對於癌症康復方面的闡述，他的熱忱、專業、誠摯與愛心都引起了廣大觀聽眾極大的迴響，造成了一陣陣的「林光常旋風」。

　　卸下學校的教職後，林教授有更多的時間可以接觸病患，從事臨床研究。今（2002）年 9 月在接受《壹週刊》專訪時，曾建華主筆問道，近期有什麼大的工作計劃？林教授就說，最重要的是儘快成立一所集治療、研究與教學的癌症中心，將目前在全球數以萬計運用自然療法與聖經醫學治療了癌症的實例，彙整起來，更深入去剖析，找出更好的癌症治療與預防之道，方能徹底根除人們對癌症的恐懼，增進全體人類的健康，恢復上帝原創在人們生命中身心靈的和諧自在狀態。

無毒一身輕
——21天改造體質

作者／林光常
撰搞整理／周光華
主編／羅煥耿
責任編輯／唐坤慧
編輯／黃敏華、翟瑾荃
美編／鍾愛蕾、林逸敏
出版者／世茂出版社
發行人／簡玉芬
地址／台北縣新店市民生路十九號五樓
電話／（○二）二二一八三一七七
傳真／（○二）二二一八三三三九
劃撥／○七五○三○○七
單次郵購一○○元（含）以下，請加30元掛號費
登記證／登記局版臺省業字第五六四號
電腦排版／龍虎電腦排版公司
印刷／長紅印製企業有限公司
初版一刷／二○○二年十月
七刷／二○○二年十二月

定價／二五○元

國家圖書館出版品預行編目資料

無毒一身輕 ： 21 天改造體質／林光常著.
 -- 初版. -- 臺北縣新店市：世茂， 2002 [民 91]
　　面； 公分

ISBN 957-776-415-0（平裝）

1. 健康法　2. 飲食　3. 家庭醫學

411　　　　　　　　　　　　　　　　　91017290